①

②

③

④

⑤

⑦

⑥

⑧

⑨

⑩

⑪

⑫

第一牧志公設市場
移転
2019年
7月1日
現市場は2019年6月16日(日曜日)に閉店します
2階食堂全店
2F ALL Shop of Restaurant
生ビール
生啤酒
draft beer
¥400
牛肉
あぐー
移転
迁址

⑬

⑭

⑮

⑰

⑯

⑱

来年の今ごろは

ぼくの沖縄〈お出かけ〉歳時記

新城和博

ボーダーインク

来年の今ごろは

生まれた街でずっと暮らしている。あらためてそう思ってびっくりした。那覇市以外で生活したことがほぼないのだ。この歳になってしみじみと焦った。もう取り返しがつかない。

そう気づいて、まったりとしていたお家から、あわてて外に飛び出した。気がつけば、春夏秋冬、いつもどこかに出かけていた。沖縄の四季は繊細である。旧暦、新暦そろって気にかけていないと、いつのまにか夏の顔をしている。でもやっぱり新北風《ミーニシ》は冷たいし、うりずんぬ風はやふぁやふぁと吹いている。

遠くに行きたい。近場ですませたい。

首里の森から下って東海岸、西海岸、南下するか、北上するか。小満芒種《スーマンボースー》のまち歩き。浦添の崖から宜野湾の海岸段丘へ。誰もいない渚で見つけた椅子ひとつ。どこまで歩いてもやっぱりいつもの島のなか。季節は流れて、アガリにイリに。

東洋バスにのって普通の夏祭りを観た。綱引きに旗頭、団地の盆踊り。ごらん、道じゅねー、ウチナーンチュのパレードが行くよ。たとえ祭りの縁者でなくても、あの夏も、この秋も、忘れたくはなかった。

古い市場はよーんなー消えて新しい市場は瞬きする間に古くなる。一日だけの本屋さんに自転車本屋さん。首里のちゃいろいお菓子に、疾走する石焼きイモ。タコライスの夜に、旧盆オードブルから始まる袋小路の文化論。やがて太平《たいへい》通りの食堂で「煮付け」の似合うお年頃になる。すべてのすーじ小《グワー》はどこかに通じる。隣町の台湾をあるいても、いつのまにか那覇の市場にたどりついていた。グスクが燃えて、コロナビールを飲み干す夜がなかなか終わらなくても、味わい深くもめんどくさい日々は当たり前のように続いている。

生まれた街で暮らしてきたけれど、まだまだ知らないことばかりだった。


この本は、二〇一五年の新春から始まり、二〇二二年の年の瀬まで続く、季節に応じた暮らしぶり、行事・イベント、そしてあてのない散歩に出かけたあれこれを綴ったごく私的な歳時記です。

少し前のこと。明日は今日の続きだと信じて、なにも考えずにいられたころ。毎年同じ事が行われる行事ごとは、とてもおだやかな日々だったのかもしれない。四季折々の出来事はサークルゲーム。くるくる回っているうちに周りの景色はどんどん変わっていく。

来年の今ごろは、いったいどこへ出かけているのだろう。

◀目次

第二部　「タコライスの衝撃　完全版」二〇一七年から二〇一九年まで

◀◀2017

◀◀ 2020

◀◀ 2021

◀◀ 2022

カバーデザイン・表紙すごろく　イラスト　宜壽次美智

●本書について
タイムス住宅新聞社が発行する「週刊ほ～むぷらざ」のウェブマガジン「コノイエプラス」、2016年7月からは「fun okinawa ～ほ～むぷらざ～」で月1回連載している「ごく私的な歳時記」2015年1月～2022年12月掲載のなかから選んだコラムを加筆修正しました。

第一部

夏越しのカーチーベー

二〇一五年から二〇一六年まで

二〇一五年

二十一年目の首里

結婚して子育ての地を首里に選んで、二十年ほどたった。七年ほど前に、えいやっと家を建てて、那覇で一番高い森のそばに住んでいる。どの辺？　って聞かれると、「転んだら南風原……」と言ったりする。那覇と南風原の境界地域なのだ。

職場の那覇市街地には車で下《お》りるという感覚になる。通勤途中に東海岸側の太平洋と西海岸の東シナ海が丘の隙間からちらりと見える。雲は明らかに那覇市街よりも近く、引っ越してしばらくは、夕方の雲の流れを見るのが楽しみだった。引っ越しとは関係ないとは思うが、ビーチボーイズとジョニ・ミッチェルのCDを集め始めた。

森は首里王府ゆかりの御嶽《ウタキ》があり、世が世ならおいそれとは近づけない場所だったようだ。今は公園に指定されているが、時折御願《ウグワン》をする方の姿も見かける。というか、拝所だらけの嶺はどう見ても御願所《ウガンジュ》にしか見えない。地域の自治会の方々も、年に一度のウマーチヌウガンで各世帯の安全を祈っている。引っ越して七年、いまだその御願に参加していないのは心苦しいが、家内安全のフーフダ（魔除けのお札）はしっかりもらっている。係の方がわざわざ持って来てくれるのだ。そのおかげで今のところ家族全員健康に過ごしている、はず。

子どもはすでに進学で旅立ってしまったので、今は夫婦二人だけの生活となった。「初老ライフのはじまり」との心構えである。しかし子育て二十年も過ぎてしまえばあっという間であるな。子どもが幼いころは、沖縄じゅうをあまはいくまはいしていたのに、今は祭りやイベントなどで遠出することはめっきり減った。行きつけだった喫茶店もいつのまにかほとんど無くなっているし、週末カフェはめんどくさいのである。

というわけで、春から秋にかけて（要するに寒くない時期をのぞけば）用事のない週末は、夕方になると森に面した自宅のデッキにイスを持ち出してビールとつまみでまったりすることが多くなった。日が落ちてくると鳥たちが森へ帰ってくる。鳥たちの鳴き声で森は少し賑わう。はじめは小さな鳥たちが、チチチッチョンチョンと、せわしなくやってきて、次第に大きな鳥がゆっくりと戻ってくるようだ。鳴き声を聞いても鳥の名前などうかばないけれど、学校帰りの小学生が練習で吹くアルト笛の音みたいな鳴き声とか、馴染みの鳥の声を聴く。

春から夏にかけてほんの一時だが、アカショウビンの特徴的なキョロロロローという鳴き声が森からする。アカショウビンが首里にいるなんて、ここに引っ越して初めて知った。

冬の手前のころやってくるのは、サシバである。森から飛び立つとき、サシバは群れの気持ちを合わせるかのごとく、キーキーと甲高い声をあげて、ゆったりと旋回し、やがて上空はるかへと消えていく。今年もこの小さな森を目指して鳥たちはやってくるだろうか。

沖縄県産本出版社が忙しくなるとき

ヤンバルから桜祭りの話題が流れるころ、首里でもほんの少しだけ桜が開花する。ご存じのように沖縄の桜前線は南下してくるのだが、首里は高台にあるので、他の那覇地域よりも、少しだけ開花時期が早いようだ。

ご近所の桜がわずかに咲き始めたのだが、お隣のKさんによると「たぶん去年の大きな台風の影響で、あんまり花は咲かないはずよ」とのこと。そういうこともあるのか。いずれにせよ、旧暦の上では十二月《ディセンバー》、春はこれからだ。

旧暦と新暦のタイムラグというか、ずれ具合を楽しむのは、沖縄県民の特権ではないかと思う。もう二月になっているというのに、旧暦ではまだ十二月というのは慣れっこではあるが、でもなかなか面白い話ではないかと思うのだ。時はいろんな風に流れていると体感できるということ。

正月行事は、沖縄でも新暦、つまり太陽暦になっている。旧正月、つまり太陰暦（旧暦）の正月を行う地域は沖縄でも少数派。が、しかし、旧正月は特にしなくても、沖縄全域で旧暦通りに行われている年末、年始の行事がある。「ウグヮンブトゥチ（御願解き）」である。旧暦十二月二十四日に各家庭で行われている、一年の集大成的な御願である。わかる人にはわかる。

この時期になると、ぼくが働いている出版社にはさまざまな問い合わせの電話がかかってくる。『よくわかる御願《ウグワン》ハンドブック』という本を出しているからだ。あなたの御願ライフの参考になれば……という気持ちの本なのだが、「見てもよくわからんさー」と今まさに御願をしている方々から、切羽詰まった問い合わせが続くのだ。ああ今年もこの季節《シチ》が来たのか……と感慨にひたるわけである。御願関係では一番問い合わせの多い日なのだ。

「ウグヮンブトゥチ」は、年の初めにカミさまへの御願、たとえば家族の健康とか幸せを願ったさまざまなお祈りを、感謝をこめて年の終わりにほどく、という意味だそうだ。カミさまも一年間がんばったから、休ませてあげるのだろう。「願いをほどく」という実感が「ブトゥチ」という響きに込められている。ブトゥチ。ブトゥチ。声に出したいウチナーグチ。

今年二〇一五年は新暦二月十二日が「ウグヮンブトゥチ」に当たる。そろそろ沖縄各地の書店の「御願本コーナー」も賑わい、御願本を出している出版社もさまざまな対応に追われるのだ。春近し……。

本もあいの「親」になる三月

　寒さがゆるむ三月。高校の卒業式がついこの間のようだ。自分のではなく、我が子のことだ。子どもを育てるというのは、自分の子ども時代を思い出すということ。自分の高校卒業のときはどうだったかななんて、重ねてしまうのだ。

　一九八一年、すでに小麦粉かけは始まっていた。数年前、学校近隣のスーパーで学生に小麦粉販売を制限するという張り紙を見た。学校側の規制をかいくぐって行われていたであろう卒業生への小麦粉かけだが、ものごとのはやりはエスカレートして沈静化する。新しい伝統をつくるというのは難しいものだ。ただいつの世も子どもの門出はすばらしいものであってほしい。

　そんな三月。一年間やってきたある模合《もあい》が一回りする。ぼくはこれまでの人生において模合をしたことがほぼない。沖縄県民としては少数派である（最近は多数派?・）。しかし去年の今頃、ある友だちから「入院していたとき、いろんな人から本をもらった。日頃自分が買いそうもない本があつまってきて、それはそれなりに面白かった」という話を聞いて、ひとつの模合アイディアが浮かんだ。「本もあい」である。

模合をお金ではなく、本で行うのだ。つまり毎月、「親」になった人に本をあげるのである。その人に読んでほしい、読んだことないかも、新しい出会いになるかも、初めての作家、ジャンルかも……、いろいろ思案しながら本を一冊選んで、その月の「親」にプレゼントする。自分だけの読書じゃ出会えないかもしれない本が読めるのだ。なにより人に本をプレゼントできるなんて、おもしろいに決まっている。

知り合いのブックカフェ「ブッキッシュ」のオーナーに話を持ちかけたら、さっそく十二名の模合参加者を集めてくれた。よく知っている人、まったく知らない人、いろいろである。共通点は本が好き。

本が好き、というのも人によって様々で、読むのが好きというのはあたりまえだが、眺めてもいいし、匂いをかいでもいいし、装丁し直してもいいし、まぁ実はいろいろな楽しみかたがある。そのなかに「贈呈する」というのがあってもいいじゃないか。

月に一度さまざまな場所に集まり、最近読んだ本をそれぞれ紹介した後に、その月の「親」に本をさしあげる。どういう理由でその本を選んだのか、それぞれ順番に語るのだが、まずそれが面白い。やはり自分が選んだ本というのは、好きな本はもとより、たとえまだ読んでいない本でさえも、思い入れがあるのだ。

誰かに本をあげる、というのは、実は意外に難しい。自分の趣味を押しつけるのでもなく、かといってその人が好きなジャンルだと、もしかして既に持っているかもしれない。すんなり決まらないと、気がつけば一か月なんとなくずっとその人のことを気に掛けている、という状態になったりして、おもしろい。

十二人の「本もあい」なので、「親」は十一冊もらえる。プラス自分で読む一冊をもってきて合計十二冊となる。いっぺんにそれだけ本をもらうという経験はなかなかないだろう。毎回そろった本の写真を記録として撮っていた。ちゃんと「本もあい帳」もある。誰がどんな本を読んでいたのか、どんな本をあげたのか。もらった先月の「親」の感想などがメモされている。

毎回、「おおー」という本が揃った。意外にかぶらないものなのである、これが。自分で選んだ本もいいけど、他の人がどんな本を選んでくるのか、それが面白いのだ。みんな「難しかった」と言いつつ、楽しそうに本の話をする。

言い出しっぺのぼくは、「親」の順序を決めるくじで、たまたま最後になった。つまり今月である。これまで十一人に本を選んできた。ようやくもらえる。ドキドキしている。最後なのでこれまで「本もあい」でもらった本をそれぞれ持ってきて、本の集合写真を撮る予定である。十二人の十二冊、百四十四冊。

彼女たちのダウン・バイ・ザ・シー

夜明け間近になると、鳥の鳴き声が小さな森からこぼれ落ちるように響いてくる。心なしか春・うりずんの季節になると鳥たちの声も弾んでいるように聞こえる。人の気持ち次第でどんな風にも聞こえるのが鳥の声。作家の池澤夏樹さんが沖縄に住んでいたころのエッセイに「シャッキンドリ」の話がある。タイワンシロガシラの鳴き声が「シャッキン、カエシテクレー」（借金返してくれー）と聞こえてしょうがない、というやつ。今年の春、うちの前の電信柱にとまっていたタイワンシロガシラは「シャッキン　サセテクリヨ、クリヨー」（借金させてくりよー）と鳴いていた。

さてうりずんの時期、旧暦の三月三日《サングワチミッカ》といえば「浜下り」である。女性たちが浜に繰り出し、ごちそうを食べて潮干狩りをして遊ぶ、沖縄の「女の節句」行事だ。ムラあげて盛大に行う所も多い。実は、ぼくが勤めている出版社ボーダーインクは、二〇〇一年から会社の行事として、浜下りを実施している。この日、女性社員、及びその友達は、我が事務所から浜へ向かい潮干狩りを楽しむのである。毎年、このころになると、どの浜へいこうかと女性スタッフらの話し合いがある。当日彼女たちは潮干狩りの格好で出社だ。「女の節句」なので、社長をはじめとする男性スタッフは普通に仕事をしている。お留守番。夕方になると、女性陣が潮干狩りで捕った海の幸で、楽しい宴会となる。盛り上がります。

これについてぼくは真剣に提案したいのだが、沖縄の会社は、女性たちの浜下り休暇を取り入れたほうがいい。そういう余裕のある社会の方がいいに決まっている。

というわけで、毎年旧暦三月三日は、ずっと事務所で留守番をしていたぼくだが、今年は平《へ》安《ん》座《ざ》島の「サングヮチャー」という行事を観に行くということになり、それは面白そうなのでと、初参加してみた。平安座島の「サングヮチャー」は、毎年新聞でも紹介される有名な行事である。ご存じのかたも多いだろう。うるま市の、勝連半島から伸びる海中道路を渡ったところにあるのが平安座島。

その行事の特徴は、大きな魚の御輿を担いで、仮装をした参加者たちが道じゅねー（行列）して、潮の引いた海を歩き、離れ島に渡るというもので、他にはない浜下りなのだ。

行ってみると、確かに頭にタコや魚の飾り付けをしたおじさんや、ハロウィンのような仮装をしたニーニーたちが普通に行列していて、実に独特な雰囲気のある行事だった。

もちろん我々も一緒に道じゅねーして、島に渡った。大勢の人間が海の向こうの小さな島目指して、ざばざばと歩き、やがて静かに吸い込まれるように島影に消えていく姿は、なかなか幻想的な味わいさえあった。さて来年の浜下り、留守番役に戻れるかどうか……。

スーマンボースーのまち歩き

今年は旧暦の密かな実力というものを感じた梅雨入りだった。例年よりだいぶ遅いとされた今年の梅雨入り。旧暦で四月に入ったのを見計らったかのように梅雨入り宣言がなされた。いわゆる梅雨は、二十四節気の「小満《しょうまん》・芒種《ぼうしゅ》」にあたる。沖縄ではあわせて「スーマンボースー」と言うけど、これが旧の四月から五月にかけてのこと。だから新暦では今年はだいぶ梅雨入りが遅れたことになるけど、旧暦ではまあまあの線、ということになる。

梅雨といわずに「スーマンボースー」と呼ぶと、雨の一日がなんとなく心地よくなるかどうかは自分次第。スーマンボースーになって、近くの森から聞こえていたアカショウビンの鳴き声がしなくなった。季節の変わり目は、小さい変化でも、少し寂しくなることがある。

そんな時期ではあるが、那覇のまち歩きの本を出版しました。日頃は様々な沖縄県産本を企画・編集しているのだが、たまに自分で書いた本もこそっと刊行するのである。今回は『ぼくの〈那覇まち〉放浪記』という、「復帰後の那覇」から「戦前の那覇」までさかのぼり、古い地図と個人的な記憶を重ねて歩いた那覇のまち歩きの随筆。自分の「趣味」である「まち歩き」をまとめたのは初めてだけど、歴史が重なり合う那覇のおもしろさを感じとってもらえたらいいなと思っている。まぁ「まち歩き」と言っても大層なものではなく、古い地図を持ってほろほろ散歩するというたわいもないものだ。だけど春夏秋冬、生まれ育った街のあちこちを、失われた昔の姿を思い浮かべながら歩いたら、時をこえて旅したような気持ちになるのである。日々の生活に、多少の思いこみと妄想を加えると、少し潤いが増すのである。

スーマンボースーの時期も、まち歩きとしてはなかなか味わい深い。雨が似合う街はいい街なのだ。雨音が心地良いけれど、家のなかでじっとしていなくてもいい。その本の中では「雨に濡れても　牧志ウガン界隈」と題して、この時期のまち歩きの話を収録してある。

牧志ウガン公園では、毎年六月に、全島の力自慢を集めて、奉納角力大会が開かれる。小雨の中たまたまその大会と出くわした話。沖縄の角力は「シマー」と呼ばれている独特なもの。胴着を着てお互い帯を掴んで勝負が始まる。背中がついたら負けなので、一瞬の投げ技で勝負が決まる。なかなかかっこいい。国際通りのすぐそば、ゆいレールが通るあたりでそんな伝統的な勝負が繰り広げられているというのが面白い。

そもそも牧志ウガン公園は、実はかつての岬の突端に位置している。今は周辺が埋め立てられたり、住宅地化していてわからないけれど、要するにこの周辺は海だったのである。那覇がかつて「浮島」と呼ばれていた小さな島だったということは、最近は琉球史通でなくても知られるようになったけど、その島だった痕跡は、実は今の那覇のあちこちにある。そんな微かな島の記憶、失われた街の記憶を探していくのが〈那覇まち〉歩きなのです。

夏越しのカーチーベー

風が変わった。今年は確かにそう感じた。

ああこれが夏至南風《カーチーベー》かと実感できるほど、首里の森も揺れていた。弁当作りのため、朝五時半ごろ起きて、〝あけもどろ〟朝焼けの空を見ながら窓を開けると、カーテンが勢いよく膨らむ。なんとなく海の上を吹き抜ける夏の風、というイメージがあったので、今まで意識したことがなかった。気持ちいい。このまま、マフックヮをすっとばしてアコークローになれば、こんなに過ごしやすい土地はあるまいて……。シマクトゥバ風味で書くと、夏の沖縄もただ暑いだけでなく、なんだか色鮮やかだな。しかし弁当を作り終えて朝ご飯を準備するころには、汗だくになってしまうのだ。

セミの声は例年より静かな気もする。夏に出遅れた、という感じで、まだあの大音響で鳴り響いていない。アメリカの「周期ゼミ」のように、沖縄でも大量発生（と言えばいいのか）する年とそうでもない年があるのだろうか。

セミに関してもうひとつの疑問は、朝のセミの大合唱が十時ごろになると、ぴたりと止《や》むことである。なにか森のセミ同士で地位協定でもあるのだろうか。今度専門家に聞いてみよう。どんなことにも専門家というのはいるものである。

この時期は趣味の〈那覇まち〉歩きも、殺人的な暑さの昼間は無理だ。自分の新刊の宣伝も兼ねた、今はなき「西の海《にし》」や崖の痕跡をたどって〈昔那覇《んかし》〉の面影を偲ぶ、西町、辻、若狭かいわいの〈那覇まち〉歩きも、夕方におこなった。

参加者を十人ほど募って、ぼくが一応ガイドっぽい感じで案内して、那覇の海に面する若狭あたりを月が頭上にあがるころまで歩いたのだが、やはり最後は汗だくになった。

んかし那覇の人たちは、夏になると夕涼みで、見晴らしのいいバンタ（崖）に出掛けていたらしい。戦前の〈那覇まち〉を記した随筆を読むと、よくそんな描写が出てくる。夕暮れになると雀の大群が、那覇のあちこちにあった大きなガジマルに、大騒ぎしながら舞い降りてきたそうである。雀たちがアコークローの大樹の陰で夕涼みする様子を想像しながらの〈那覇まち〉歩きだった。

ゴーヤーもあちらこちらからお裾分けされるようになり、夏越しの準備は整った。長い長い夏は始まったばかりだ。

カエルの王様

首里の森の傍に引っ越してきてしばらくたつが、今年は妙に気になる、カエルの鳴き声。台風が続いたころからか、雨の気配がする夜になると、森全体からカエルの声が響いている。最初は夏の虫たちの声かと思ったのだが、あの音量とユニゾン具合はカエルの合唱ではないか。あらためてウッドデッキに出て聞いてみると、いやなかなかのものだ。いくつかの種類の声が森をゆらしている。

朝のセミの声とは違って、夜のカエルは、なんだか涼しげである。実際聴いてもらえたらいいのだが、小鳥の声のような、鈴の音のような、カエルらしからぬ声だ。カエルって実は「げろげーろ」って鳴かないんじゃないのか。沖縄にはたくさんのカエルがいるらしく、首里の森の合唱隊がいったいどのカエルなのかはまったくわからない。

もう真夜中といっていい時分、カエルの輪唱が続く中で、一声さらに目立って鳴く声がした。鳥？　犬？　いや、これまたカエルのようだ。文字にできないが、しいて書けば「くぃーっ　くぃーっ」か。合唱隊を率いて独唱するその気配は、姿は見えないが、もしかしてカエルの王様か何か？　カエルの氏素性《うじすじょう》が知りたくなった。とりあえずデジタルカメラで映像と音声を撮ってみた。真っ暗闇の画面の中でしばらくすると「くー、くー、くぃー、くぃー、ぐぃーっ」と声がした。

　山原の山の中でカエルの声を録音するのが趣味の友人のことを思い出し、その映像と音声をフェイスブックにアップして、これはいったい何カエルなのだろうかと質問してみた。

　なかなか特定するのが難しいらしく「ハロウェルかも」とのこと。洒落た名前のアマガエルだ。世の中には何でも専門家がいるものである。

　カエルも専門のサイトがいくつかあると教えてもらった。沖縄のカエルってこんなに種類がいるのだな、と感心する。鳴き声も聞けるサイトがあるので、いろいろ比べてみた。初心者のぼくにとって見た目はエグく感じたが、だんだんかわいく思えてきた。鳴き声も実に様々。その中で聞き比べると、リュウキュウアカガエルのような、オキナワイシカワガエルのような……うーん、やはり素人ではよくわからない。とりあえず、あのひときわ目立つ彼のことはカエルの王様ということにしよう。首里天《スイティン》アタビチャーと命名した。

　眠れぬ真夏の夜の過ごし方もいろいろあるものだ。

サバニを漕いで

お盆がすぎると秋の気配がする。ふとした空き地の夕暮れ、あーけーじゅー（トンボ）が群れなしているのを見たりすると、秋近しと思うのはベタすぎる感情かもしれない。まだまだ長い夏が続くだろうから、季節感というのは一種の刷り込みなのだろう。

今年のお盆は久しぶりに、夏休みで帰省していた娘と一緒に親戚まわりをした。本人の希望だから、やはり離れて気づく故郷・ルーツへの思い、というのがあるのかもしれない。

ぼくが大学生のときに亡くなった父親は――つまり娘にとっては会えなかった祖父であるが――小さな島の出身だ（沖縄県内で知る人ぞ知るという感じ）。親戚の多くも島を離れているから、お盆は、那覇を中心にして、沖縄島のあちこちに点在している親戚の家をまわることになる。

いつもはだいたいぼくひとりでまわり、徐々に高齢化していくおじさん、おばさんの近況をふむふむと聞くのだが、今年は娘が一緒なので、あらためて生まれ島で過ごした日々のことを尋ねてみた。

島には高校がないから、ほとんどは高校進学を機に島を離れ、そしてそのまま今にいたるという場合が多い。思い出のほとんどは中学校までということになる。

「野球するのにも島の中でだけでは人が足りないから、サバニ漕いで渡嘉敷島とか座間味島に行って、試合したよ、ぼくたちは」

サバニ漕いで野球？　初めて聞く話だ。戦争が終わって少しずつ島が落ち着いたころ、中学生だったおじさんたちの思い出である。

「先生たちに言ったら怒られるから」子どもたちだけでこっそりサバニを漕いで行ったらしい。中学生だけでは九人揃わなかったから、五、六年生も連れていった。向かいの島までは、ぼくからすると海峡と呼んでもいいくらいの距離があるのだが、特に大変だったという記憶はないらしい。海を熟知していたのだろうな。

「大きい渡嘉敷島とか座間味島からは来なかった。ぼくたち小さい島からしか行かなかった」そうだ。渡嘉敷島には、サバニで浜に着いても、そこからさらにひと山越えてようやく相手のムラが見えてくる。そこはもう峠と言っていいくらいの地形である。

「ムラが見えてくると、ぼくたちはそれまでずっと裸足だったんだけど、そこで初めてズックを出して履いてから、相手のところに行きよったよ」当時ズック（靴）は貴重なものだったのだ。すーてーして、つまり大切にして使っていた。白いズック、とおじさんは言った。グローブも手作りだったとか。

試合が終わると、また峠を越えて浜に戻る。もちろんズックを脱いで裸足だ。そしてふたたびサバニを漕ぎ海峡を越え島に戻った、という。やはり特に大変だったということもなく、おかしそうに、そういうことがあったなぁという感じだ。

ぼくと娘は、その話を聞きながら、サバニが白い波をあげて紺碧の海を進む姿を思い浮かべていた。

「うちの島の学校はそのころまでは阿嘉島の分校だから、先生たちの職員会議の時もサバニで渡るわけさ。漕ぐのは生徒だよ、ぼくたちさ」

先生が会議している間、サバニで待っていて、時には夜になることもあった。それでもその日のうちに島に戻ったという。

いくさ世を生き延びた少年たちの思い出である。

コオロギのいた夏

沖縄の夏の変化は風の変わり目でわかる。旧盆・シチグヮチをすぎるとトンボの群れが目立つようになり、朝夕の風が心持ち涼しくなる……「しださん」といううちなーぐちを知ってからは「風ぬしださよー」なんてつぶやいてみると、沖縄の秋も深まりゆく……でも台風が来ると、湿気を含んだ生暖かい風に逆戻りして油断ならない。

首里の秋は、赤田町《あかたちょう》のみるくウンケー、汀志良次《ティシラジ》（いまの汀良町《てら》）の獅子舞の開催を知らせる横断幕から始まる。しばらくしたら、十一月の首里文化祭にむけて旗頭の練習する鉦《かね》の音が、首里の町のあちこちから聞こえてくるだろう。

ところでぼくの住んでいる家は木造である。夏は涼しく冬は暖かい……ということで建てた家も今年で八年目となる。無垢材の香りが家の中のあちこちに、いまでもほんのりと漂っているのはひそかに気に入っている。

そんなお家に、今年の夏、彼がやってきた。招かざる客、それは……コオロギである。

ヒトが寝静まる深夜、彼は鳴き始める。最初は外の草むらで鳴いているのかと思ったのだが、窓はもちろん閉まっていた。空耳かともおもったが、やがて彼の声で目が覚めるようになった。いる、彼は家の中にいる。

がばっと起き上がって声の方向をたどっていくと、台所に行き着いた。静かに近づくと、ぴたっと鳴き声がとまった。我々の気配を感じとったらしい。姿は見えない。ステップバックして、静かにしていると、再び鳴き始めた。確かにコオロギだ。こうして聞くとけっこうでかい鳴き声である。家の外で鳴いている分には風情もあったが、家の中で鳴かれると騒音……とはいいすぎだが、いったん気になると眠れない。でも、最近つかれているから、もしかして幻聴？　妻とお互いに「鳴き声が聞こえているよね」と確認する。

どこにいるのだろうと、気配を消して近づく。鳴きやむ。そのくり返しで、どうやら台所の食器棚の下あたり、ということがわかってきた。棚の土台にある空間にいるのか。棚を傾けてのぞき込まないとわからないが、もしそこにいるとしたらいったいどうやってそこにたどり着いたのだろうか。何のために。エサでもあるのか。いやいや掃除はちゃんとしている。昼間、そして照明がついている間、ずっとじっとなにもせず食器棚の底で佇んでいるのだろうか。

彼は毎夜毎夜、我々が消灯するとしばらくして鳴き始める。だんだんヒトの気配に慣れたらしく、食器棚の土台近くに迫らないと鳴きやまなくなった。なんということだ。そんな状態がしばらく続いた日曜日の朝、家の掃除ついでに食器棚を動かしてみることにした。虫一匹に大騒ぎである。

食器を全部出して、棚をぐっと傾けてみた。土台の中に確かに空間がある。そして彼は……いなかった。そ、そんな。鳴き声がしていたのに。どこに隠れているのか。昼間はどこかに移動していたりするのか。あきらめきれずに、掃除機でとりあえず棚のまわりを掃除しようとしたら、視線の端にぴょこんとはじかれたようにジャンプするものが……。いた。それは確かにコオロギだった。意外に大きいではないか。我々の襲撃をやりすごそうとしていたに違いない。千載一遇のチャンス！　ぼくは掃除機のアタッチメントを外し、吸い口を広くして、二度目のジャンプをしてこの場から脱出しようとしている彼に向けた。

吸った。コオロギにとってはあっという間の出来事だ。掃除機がかっこいいと思ったのは初めてである。しかしあんな狭い暗い場所に一日じゅういるなんて。虫の考えることはわからん。しかし本当にあんな小さなコオロギを捕まえられるのか、半信半疑だったぼくと妻は、こう思った。

コオロギは鳴いているところにかならずいる。

火のないところに煙はたたない、のかわりにぜひみなさんも使ってもらいたい、我が家の今年の夏のカクゲンである。

恐る恐る掃除機の、ゴミのたまるところ（なんというのだろうか）をカパッと開けてみた。いた。慎重につまんだ。普通のコオロギだ。ここで手を離したら元の木阿弥とばかりに、あわてでデッキへいく。隣の空き地の草むらに放してやった。勝負はついたのだ。外でだったら思う存分鳴くがいいし、そもそもそういうバグズ・ライフのほうが楽しいに決まっている。

そしてその晩からぼくたちは心やすやすと眠ることが出来た……かと思ったらそうでもなかったのだ。実は、コオロギ、よーく耳をすまして聞いたら、あと二匹、確かに鳴き声がしていたのだ。今一度夫婦揃って幻聴ではないかと確認したが、そうではなかった。

しかしもうぼくたちは慌てない。だって「コオロギは鳴いているところにかならずいる」のだから。掃除機片手に、本棚とお風呂場の棚のはしっこを調べたら、やっぱりいた。やはり似たような場所で同じように鳴いている。やはり虫の考えることはわからん。

掃除機は今回も、すぱっ、すぱっと奴らを確保した。もはやコオロギを捕まえるために出来たかもしれないような安定感である。

あれからしばらくして、家の外でやけにコオロギが騒がしくしているような気がしたが、まぁ気のせいだろう。

首里の秋、月夜の弁が岳周辺

今夜もまた月がきれいだな。

暑さが遠ざかりつつある旧暦九月の十五夜は、清々しい。

〆切が上弦の月を過ぎたような原稿を書かねばならないが、つい散歩に出てしまった。ようやく心地よい散歩が出来る季節になったのである。

家の裏手に小さな森がある。月はその森の上にすっとあがっていた。雲がたなびき、絵に描いたような、月夜。森を回り込むようにして、すたすたと歩いた。木々の間から見る月がこんなに美しいものだというのは、ここに引っ越してからわかったことだ。

森を抜けていく風の音が、細く静かに響いている。空の上からごぉーという野暮な飛行機の音がする。気にしないで坂道を振り返ると、やはり十五夜の月。

子どものころ、夜道を歩いていると月が一緒についてくるのが不思議だった、というのはだれでもそうだろうが、大人になっても、やはり少し不思議な気がする。見る場所によって大きさが変わることとか。心理的錯覚というやつなのだが、なぜそう見えるのかは実はちゃんと説明できないんだそうである。不思議なことが不思議なままなのはちょっと楽しい。

「月《ツク》ぬ美《カイ》しゃ　十日三日《トゥカミッカ》（十三夜）」か、十六夜《いざよい》月が好みなのだが、十五夜の月の明るさはやはり捨てがたい。街灯が途切れた道の端、歩く我々の影がくっきりと落ちている。我々というのは妻とぼくである。ぼぉーと月と影を交互に見ていたら、軽自動車がゆっくりと傍を通った。こんな暗闇に人が立っているのだから、少しどきっとしたのではないか。両手を突き出して、「いきなり走り出して車を追いかけたらびっくりするだろうか」と提案してみる。

このあたり、昔は人里まばらな場所だったようだ。実はかなり位《くらい》の高い聖域で、「弁が嶽」という名のウタキもある。今歩いている道は山の尾根にあたるので、左右がそれぞれ斜面になっている。見晴らしはよいはずなのだが、今は住宅地なので、遠くまで見通せないのが残念だ。ゆったりとした下り坂はあっという間に大通りの交差点に出てしまった。尾根沿いの道はここで分断されるのだ。途端に風の気配が変わってしまう。通りひとつ隔てるだけで流れる時が違って感じられる。横断歩道の向こうに道の続きがあるのだが、今夜の散歩はこれ以上、遠出はできない。

通り沿いの馴染みのスタンドバーが、ハロウィン仕様になっている。首里駅が今夜はやけにまぶしく感じる。見上げれば確かに十五夜の月なのだが、なんだか普通の月のようでもある。昔の那覇の人はこんな晩にはわざわざ波上、若狭の海岸近くのバンタに出掛けて月見をしたらしい。首里の人はどうだったんだろうか。

ウォーキングの人、予備校帰りの女学生、美味しい中華料理を堪能したらしい若者たち。すれ違う人たちもまた空を見上げるのかしら。

大通りを曲がり少しすると大豆を煮るいい匂いがしてきた。もう明日の豆腐の支度が始まっているのだ。この豆腐屋の角を曲がれば我が家と森が見えてくる。とたんに月が明るさを増した。雲は流れてしまい、月だけがすっと夜空で輝いている。力のないコオロギの鳴き声が聞こえてきた。今宵の散歩はこれで終い。

さて原稿を書かなければ。

鳥づくし

鳥の声とともに朝がやってくる。首里の森のそばに住んでいると実感することだ。少しずつ白々としていく朝空の隙間からこぼれ落ちるように、いろんな鳥の声がする。鳥の生態に詳しいわけではないので、彼らがどんな気持ちで鳴き出すのかはわからない。ただその声で一日が始まるのは大変心地よい。

一年の始まりにふさわしい鳥といえば、やはり八重山民謡「鷲ぬ鳥節《バスィヌトゥルイ》」で歌われている鷲の子だろう。正月の朝、美しい色合いの羽を太陽のひかりに輝かせて飛び立つ鷲ぬ鳥の姿は、さすがにこの森では見ることはできないが、首里の小さな鳥たちにその面影を重ねてもいいかもしれない。今年一年がいい年でありますように。

そういえばこの家の棟上げのとき、サシバが弁が岳の森から遙か上空へと舞い上がっていくのを見た。なんとなく縁起がいい気がした。去年もサシバは、渡りの途中にやってきた。十一月のある朝、キィーキィーという独特な甲高い声で鳴きあって、やがていつものように空高く舞い上がっていった。

ご近所の庭の木に群れでやってくるのは例のタイワンシロガシラ。「シャッキンカエシテクレー」（借金返してくれー）の鳴き声だが、最近は「シャッキンシテナイ、シテナイ、シテナイ」というように聞こえることもある。人の心を反映するのが鳥の鳴き声なのだろう。

最近、ある鳥と知り合いになった。週末、ぼくらは家のデッキに小さなイスを出して、晩酌気分でビールやらワインやらを呑むことがある（ちなみに泡盛は室内で呑むことが多い、なぜか）。鳥たちも森へと帰る頃合いらしく、いろんな鳥が目の前を横切っていくし、森からは「ほぅほぅ」やら「ぴぃぴぃ」やら聞こえてくる。

そんななか、いつのころからか、向かいの家の屋根のはしっこにとまり、じっとこっちを見ている（ように思えた）小さな鳥がいた。ふと思いついて、つまみのピーナッツをひとかけら、ぽーんと放り投げてみた。するとその小鳥は、すーっとそのかけらめがけて飛んできた。路上に落ちたピーナッツのそばに、ちょんちょんちょんと近寄って、ひょいっとつまむと、また屋根の上にすーっと、もどっていった。そしてまたじっとこっちを見ている。今度は確かに見ている。もう一度ぽーんとピーナッツを放ったら、またすーっ、ちょんちょんとつまんだ。へえー、おもしろいなぁ。何度かそんな風にしているうちに、日はとっぷりと暮れて、その鳥もどこかへ飛び去った。

以来、その小鳥は、時々ぼくらの晩酌の相手になることがあった。ぼくらがデッキにイスを並べると、いつのまにか、お向かいの屋根のはしっこにいるのである。どこかで見ているのかしら。どうやらヒヨドリのようだ。いわゆるスーサーだ。

ある朝、デッキの方から視線を感じた。振り向くとガラス窓越しに、あの小鳥が家の中を覗いているではないか。わっ。少しびっくりしたが、もしかしてと思い、脅かさないようにデッキにそろりそろりと出て、トーストのかけらを、ぽーんと放ってみた。食べた。ぼくらが家にいることを確かめていたようだ。

しばらくしての朝、今度はとても綺麗な、これまであまり聞いたことのない鳥の声がした。なんだろうと思って物干し台に出ると、あの鳥だった。ついに呼び出されてしまった。こんな綺麗な声色を使えるとは、やるな。しかもぼくたちの朝の行動（洗濯物を干す）を観察していたと思われる。

長い付き合いになりそうな気が、した。

寒い冬だから——沖縄に雪が降った

朝、目覚めると、イソヒヨドリは、まだそこにいた……。

くだんの小鳥であるが、いろいろなトリスキー（鳥が大好きな人たちのこと）から教えてもらった。「あれは、イソヒヨドリだよ」

ヒヨドリとイソヒヨドリは、名前は似ているが、違う種類なのだそうだ。しかもイソヒヨドリは「ツグミ科」なのだそうだ。ツグミかぁ。

さて先日の「沖縄に雪が降った日」、みなさんは、どんな風に過ごしていただろうか。ぼくは、あいにくこの目でみぞれやあられは見ることができなかったが、夜中、パラパラと音だけは楽しむことができた。風が強い、まさに嵐の夜のようだったが、なぜかわくわくしたりして。

一九七二年「日本復帰」する前、沖縄の子どもたちの間で、「復帰したら雪が降る」という噂があった話は有名だが、実際復帰して四十四年、とうとうこの日を迎えるとは感慨深いものがある。みぞれが雪に分類されることも知らず、寒がりであるはずの沖縄人が、こんなに「雪が降る」ことにうかれるとは。少しほほえましかった。「沖縄に雪が降った日」として、沖縄県民の記憶にずっと残るんだろうな。

寒さがピークを迎えると言われた日、風と雨におそれをなして、やーぐまい（家籠もり）しようと思っていたが、ネットを見ると、次々にあられ・みぞれ情報がアップされていた。うらやましい。

せっかくだから、この記録的な寒さを味わおうと、寒々とした分厚い雲の下、首里を散歩した。首里城周辺をぶらぶらする、いつもの散歩コースであるが、もしここが一面の雪景色だったらなどと妄想しつつ歩く。思わず笑っちゃうくらい寒いが、心地よい。

首里城はいくつも湧き水があるが、そのひとつ久慶門の傍にある湧き水に寄った。水に触れてみたら意外にぬるかった。湧き水に詳しい知人よると「湧き水の水温は年間通して一定していて、夏涼しく冬温かい」のだそうだ。瑞泉にも寄ってみた。泡盛の酒造所ではなくて龍樋のほう。水はもちろんこんこんと龍の口から流れて出ていた。こちらもぬるい。

心待ちしている雪は降らないが、雨が切れ切れに降ってきたので、首里杜館の中にはいった。無料休憩所でゆくっていると、テーブルの足元に見慣れたシルエットを発見。イソヒヨドリである。まさかうちの……。いや違った。鳥も寒さをしのいでいるのかと思ったが、どうやらここをエサ場にしているようすで、人目をさけつつ、お客のこぼしたスナック類などをつまんでいる。

帰りは龍潭通りを歩いたのだが、そこでアヒルたちを発見。寒くてみんな陸に上がっているではないか。がぁがぁ鳴くこともなく寒さに耐えている。顔つきも厳しい……ように思えた。

パラパラ屋根にあたるあられの音を聞いた翌日、物干し台に出ると、さーっと飛んでくるやつがいた。うちのイソヒヨドリである。あの寒さの中どうしているのだろうと思っていたが、どうやら無事やり過ごしたらしい。あわててお米を盛ってやった。

イソヒヨドリは、「寒かったですねー」という顔つきで、米粒をつまみ始めた。

ほんと寒かったなー。

タモリさん、そこなんですよ

「ブラタモリ　首里・那覇編」でかってに盛り上がる

そろそろかな、と思っていた。番組スタート時から見続けてきたNHKのテレビ番組「ブラタモリ」が那覇に来るのは。いや、ずっと来て欲しいと、「そうなんですよ、タモリさん、琉球石灰岩の賜物なんですよ、首里城は」とかいうシーンを見たい、と念じてきた。「那覇は、浮島だったんだ、ほぉー」とタモリさんが驚くところを想像していた。

そして遂に願いが叶った。（……タモリさんが日本各地をまち歩きして土地の謎を解明する人気番組「ブラタモリ」を、皆さんが知っている前提で話は続きます……）

「まち歩き・那覇ポタリングが趣味でして……」と言い続けて、去年、随筆『ぼくの〈那覇まち〉放浪記』をまとめ、『地元ガイドが書いた那覇まちま〜いの本』を二年がかりで編集・刊行したのも、いつの日か「ブラタモリ」が那覇・首里にやってくると信じていたからだ……とは大げさか。でも多分全国にいる、まち歩きが好きで、地形マニアたちは、だいたいそう思っているはずだ。我が町こそ、タモリさんが来るべきだと。

そんなこんなで個人的に大騒ぎして見た「ブラタモリ　首里編」。放映された翌日、首里の昭和初期の民俗地図を持って、当然のように番組で紹介された首里のポイントを巡った。実をいうと、ぼくの主な関心は、失われた那覇、つまり明治から昭和初期にかけての「んかし那覇」の面影を想像、いや妄想すること。引っ越してきて二十一年の首里は、あくまでも日常の延長としての散歩するところだった。しかし今回「ブラタモリ　首里編」で提示された、琉球石灰岩で出来ている高台・首里の水脈という視点を意識して歩いてみた。

「散歩」と「まち歩き」に違いがあるのか、といえば、大いにあると言いたい。漫然《まんぜん》とてくてくするのが散歩とすれば、見た目は同じでも、心の奥の深いところで、ちょっとしたこだわりを偲ばせながら、やはり漫然とぶらぶらするのが「まち歩き」なのだ（諸説あります）。どちらが怪しげかというと、絶対に後者である。何もない空き地をみつめて「……ふふ、ここに井戸がある……民俗地図にもかつて酒造所だったマークがあるし……」と、足元の石積みを写真に撮ったりするわけだから。しかしそんな他人の目が気になるときに、ぼくらは「いや、これはブラタモリ（の気分）なんだから」と心の中でつぶやいて、堂々と振る舞えるのである。

水脈を意識して歩いた首里の町は、いつもの散歩とは違う姿をぼくに見せてくれた。弁が岳麓《ふもと》の自宅から出発して、鳥堀《とりほり》町、赤田《あかた》町、崎山《さきやま》町のいわゆる「首里三箇」ではかつて泡盛造りが盛んだった名残を感じ、首里城では龍樋・瑞泉の水がとくとくと流れているのを確認し、城下町ともいえる大中《おおなか》町、桃原《とうばる》町、そして儀保《ぎぼ》町へと下る。儀保町は初めて首里で暮らした町だ。期せずしてぼくの首里生活二十一年間を繋げるまち歩きとなった。

ブラタモリの影響であっちこっちに人がいるかと思ったら、世界遺産周辺以外に人影はほぼなかった。それでいいのだ。民俗地図を眺めて、あらためてウガン小《グワー》、フトゥキ坂、三司官橋、はべる橋など、そそられる名前を発見して、ちょっと得した気分になる。

地下の水脈を思いつつ首里の道を歩く。スピリチュアルな意味ではなくて、目に見えないものを感じ想像するということは、日常を少し変えてくれる。いくつもの時の流れの、その重なりの中で暮らしているということを知るだけでも、ちょっとだけ生活が豊かになる気がする。人はそれを妄想と呼ぶが、妄想無き人生の、なんと寂しきことよ、である。

ちなみにこの原稿を書いている時点で「ブラタモリ　那覇編」の放映がまだである。あとしばらくはタモリさんがどういうコメントを言うのか、あれこれ想像する楽しみがある。

ああ、忙しい……。

うりずん雑感

旧暦は、ぼくたちの暮らしと自然をつないでくれる季節感。新暦と旧暦、この二つの時間軸を重ねることで、ぼくたちは味わい深くも面倒くさい日々に誘《いざな》われていくのである。彼岸からシーミーへ、年度末よ、越えていけ！

「うりずん」という響きを実感するようになったのは、多分四十歳すぎてからだ。那覇・開南《かいなん》から首里に移り住んで、季節の変化に敏感になったからということではない。人生の四季、つまり壮年から老年へとつづく自分自身の移ろいの予感を、「うりずん」という沖縄的な、あまりにも沖縄的な響きに、つい重ねたりする。要するに、なんとなくうらやましいのだろう。「青春」というにはまだ早い春の陽気に誘《さそ》われて、文章がよれよれだが、しかたない。

ヤマトから帰省している大学生の娘が、映画サークルの自主制作映画を作るというので、いつのまにか巻き込まれてしまい、今年のうりずんの節《シチ》は、島のあちこちに車を走らせた。離島にも渡った。大勢のオトナとコドモたちがボランティアで加勢しているのを見て、いやはや学生映画でもこんなにいろいろ大変なのだなぁと思いつつ、とりあえずもう早くクランク・アップしてくれ！　とやきもきしている。

テーマが沖縄戦の遠い記憶ということもあり興味津々なのだが、それとは別に、ああそういえば、若者というものはこんな感じでまわりに迷惑かけつつも、突っ走っていくものだなぁ……と思いだしたりする。

いやなにも自分が「旧暦」で、娘達が「新暦」などとは思わないが、異なる世代が重なることで、いろんな島の歴史が見えてきたらいいのではないかと、ここは父親じらーしておこう。

しばらくしてうりずんの雨が降ると、弁が岳の森にいるカエルたちが鳴き出しはじめた。冬の時期、彼らはどうしていたのだろう。なんとなく今年は特に寒気が強かった気がするので、冬を越えての再会はうれしい。

去っていったものもいる。長い付き合いになると思ったあのイソヒヨドリは、いつのまにか顔を見せなくなった。他の若いイソヒヨドリが何羽も近所の木々にやってきているのだが、あのイソヒヨドリの雌ではない。デッキにもベランダにも窓にもその姿はない。せっかく一緒に食べようと思っていたピーナッツをデッキでビール片手にほおばっても、もうあの気配は感じられない。どこかへ、もっとよい森へ、新天地へ飛び立ったのだ……などと思いつつ、まだ若いイソヒヨドリにエサをやる気にはなれないでいる。

首里劇場にやちむんを観に行く

首里劇場で、昔からの知り合いである奈須重樹さんのグループ「やちむん」が、結成二十五周年記念のライブをやるというので、連休初日、観に行った。昼夜二回公演の昼の部、マチネーだ。

首里劇場は、県内最古の映画館として有名である。築六十年以上を経ていい具合に古びた佇まいは、沖縄の戦後史を彩る建物といっていいだろう。首里大中町の住宅地の真ん中にある。首里のはしっこに位置するぼくの家から、散歩がてら歩いていくのには、ちょうどいい距離だ。首里の戦前の民俗地図をコピーしてポケットにしのばせて、出発した。

首里は旧那覇と比べると、比較的昔の道筋をたどりやすい。ここ数年、モノレールの工事にともなう道路拡張などにより、だいぶ印象がかわったところも多いが、首里城を取り囲む住宅地の路地や坂道は、いにしえの道筋をだいぶ残している。

今回はできる限り川沿いを歩くことにした。真嘉比《まかび》川の上流、という感じか。住宅地の中を隠れるようにして流れているので、注意してたどらないと気がつかない。暗渠《あんきょ》となっているところも多い。地下水路である暗渠を探し当てるとなぜか少し嬉しくなる。

首里の町の斜面は、川が琉球石灰岩を浸食してできたものだそうだ。河岸段丘というやつだ。真嘉比川の上流は、モノレール首里駅を越えると、ぐんと深い谷間を形成しているのだけど、住宅が密集しているので、そのクネクネと蛇行している姿は、道路沿いからはほぼわからない。普通に歩いてもたどり着けない。最後はひとんちの玄関先へと続いて、行き止まりというのが多いのだ。

これだけ住宅と接していると、都市河川の特徴である生活排水が流れ込んできて、水質はあまり良くない。生活臭がぷうんとしてくる。しかし見た目はそれなりに情緒があり、かつワイルドなのである。ジャングルを思わせるような樹木が生い茂っているなか、廃墟と化したアパートがあったりする。いちいち谷間の横道を下りていってそうした建物や川筋を確認してると、散歩というより探検に近くなる。このくらい急角度の斜面に形成された住宅地域というのは、たぶん戦後のことではないだろうか。

民俗地図に「〇〇御殿」の表記が目立つようになると、同じ川沿いでも開《ひら》けた感じになってくる。ぽつんぽつんと残る石垣の名残から、かつてあった首里士族の屋敷跡を妄想する。首里に引っ越して最初に住んだのがこのあたりである。娘を連れてよく遊びにきた小さな公園が、暗渠の上にあることをあらためて確認する。当時はブランコや滑り台、ギッタンバッコン（シーソーのこと）などの遊具があったけれど、きれいさっぱりなくなっていた。錆びて壊れて危険ということで撤去されたのだろう。そのすぐ傍にあったお風呂屋さんの跡地は、普通の住宅になっているが、民俗地図でみたら「首里焼窯跡」とある。焼き窯から風呂釜へ変わっていたのか……。

はっと気づいたら散歩は一時間以上たっていた。やちむんのマチネーの時間が迫っているではないか。川を少し離れて、儀保大通りの知念商店で買った缶ビールを飲み、汗を入れて、目的地の首里劇場へと少し急ぎ足で向かったのであった。

安謝の片隅で

休みの日、学生のころは、何もしなくて一日家でぼーっとしていた。とぅるばるのが大好きだった。しかしオトナになり、しかも壮年というライフステージへの階段が見えてきたりすると、このまま何もしなくて一日送っていいのだろうかと、そわそわするようになった。静かに本読んだり、平日の仕事中にあれほど望んでいる昼寝でもすればいいのに、出来ないのだ。気がついたら家を出てひとり街を放浪している。趣味としてのまち歩きは自分なりに目的のあるものであったが、最近はただ歩くだけ、ということもしばしば。いつもは車で通りすぎる街角を放浪気分でさまようようになった。

傘を持ちながら、安謝を歩いたのは、いつの日曜日だったか。旧真和志村地区（一九五三年に真和志市になり、一九五七年に那覇市に吸収合併された）は、意外と戦前の名残を残した道や集落があるのだが、安謝もそうだった。今は那覇のはしっこという感じであるが、昔は真和志村のはしっこだったのだ。安謝川を北側に背にした斜面に、もともとの集落がある。今は国道五八号でびゅんと横目で通り過ぎるだけで、安謝のイメージというと、埋め立てられた、安謝港（那覇新港）あたりを思い浮かべるに違いない。しかし、もともとあった安謝の集落は、じっくり歩いてみたら、なかなか味わい深いところだった。

そもそも斜面に形成されている集落は面白いのだ。那覇市だと、小禄とか安里とか、首里とか繁多川とか。住宅地といえども起伏があり、かつての土地の有り様が想像できるからだ。斜面をうまく利用した立地の家並みに沿って歩いていくと、思わぬ眺望が開けたりする。斜面の一番上から尾根線上に沿った横道をたどりつつ、適当に縦の筋道を降りていく。あみだくじをしているような感じで、ぶらぶら歩けるのが面白い。小さな森と御願所、そして廃墟のアパート。ゆっくり歩かないとわからない、時の重なりを感じさせる風景に次々と出会った。

安謝は戦後米軍のマチナトハウジングエリアと隣接し、それなりに賑わいを見せた商店街が形成された。復帰前後、軍作業をしていた親戚が安謝に住んでいたのでよく遊びに行ったのだが、一号線沿いのバス停から、歩道のあるトンネルを抜けて、その商店街の通りへたどりついた微かな記憶がある。あのころ開南から安謝は遠かった。

あみだくじ道（新城命名）をたどり、その名残を求めて歩くと、なんとなくこのあたりかな、という通りに出た。住宅地と商業地域が自然に一体化していた時代、と書くと小難しい話になりそうだが、昔は那覇のあちこちに小さな商店街通りがあったでしょう？　安謝はまだその名残があったので、ついうれしくなって、国道五八号下のトンネル（あるのだ！）を抜けて、さらなる安謝探訪は続いた。

あの日、昼寝したらきっと安謝の魅力を知らないままだったに違いない。我ながら、なんで今、安謝なのだろうと思いつつ……。

君は与那原大綱曳を曳いたか？

沖縄の伝統的な夏の祭りといえば、稲の収穫がおわったあとの豊年祭としての綱引き、旗頭である。かつて沖縄は島じゅうに田んぼがあったのだ。いまはほとんどの地域がさとうきび畑に変わってしまったけれど、綱引き、旗頭の行事だけは残っている。環境は激変していても地域や家庭の中で伝統的な行事が続いているのは、考えてみるとおもしろい話ではある。

でも祭りもいろいろ社会の変化を受けて変わるところは変わる。そもそも年中行事は太陰暦、お月さまの周期をもとにした、いわゆる旧暦に従って行われてきた。旧暦という言葉も明治になって日本政府が西洋式の太陽暦、つまり太陽の周期にもとづいた暦を採用したことによって、「旧」といわれるようになったけど、沖縄においては年中行事のほとんどは旧暦にもとづいて行われているのは、まぁみなさんご存じの通り。行事は「旧」で変わらない。でも行事によっては多少の変化はあって、都市化した町や村で、たくさんの人が集まるような祭りは、例えば、綱引きだとだいたい旧暦六月二十五日に行われるものだが、それが平日だったりするといろいろ都合が悪いので、その近辺の週末の日曜日に行っている地域は多い。この変化しつつ続いていく、というのが私たちの暮らしのリズムなのかもしれない。

というわけで、二年ぶりに遊びに行ったのが与那原大綱曳まつりである。綱ひきの「ひき」は、「引」と書いたり、「曳」と書いたり、「挽」と書いたり、地域によって微妙なこだわりがあるのだけど、与那原町は「曳」である。こういうことは地域の人にとってデリケートなことなので気をつけよう。与那原の伝統的な綱曳だが、開催は週末である。

しかし与那原の人たちの綱曳にかける情熱は素敵である。なんといっても毎年の町のスローガンが「３６４日をこの一日に」なのである。綱曳まつりのために、一年を過ごしているのだ！　いいのかそれでと思いたくなるが、いいのだそれで。

与那原の綱曳の特徴は、ぼくの印象としては、「美しい、綺麗だなぁ」である。旗頭も旗頭の行列の人たちも、全体的にかわいらしい色合いなのである。勇壮な部分はもちろんあるが、桜色っぽいというか、なんかフェミニン。与那原の綱曳には「勝ちぢゅらさ、負きぢゅらさ」という言葉があるそうだ。「勝っても美しい、負けても美しい」「勝っても負けても清々しい」という感じだろう。素敵だ。綱ひきは地域によっては「喧嘩綱」と言われるくらい荒々しいものだが、与那原はその点でもなんだか、たおやかだ。それはそのまま与那原の印象でもある。

町のそんなに大きくもない広場で行われる祭りは、綱曳のほかにもいろいろあるのだが、舞台でのバンド演奏が、70～80年代のディスコっぽかったり、ここぞというところでプリンセス・プリンセスやリンドバーグのJポップだったりして、これもまたいとおかし、である。なんか祭り全体的に漂う昭和感がほっとする。

ぼくは今年はずっと、そのバンド演奏が鳴り響く会場の片隅で行われた沖縄角力大会を見ていた。沖縄の相撲は「シマー」と呼ばれていて、日本風の相撲とはかなり違う独特のものだ。胴着を着て最初から帯を持ち合い組んでからはじまる。韓国相撲も組み合ってから取るとか。勝負は背中がついたら負けで、大体三本勝負で二回勝ったら勝ちだ。今年も全島から集まった力自慢のニーニー達が熱戦を繰り広げていた。アース・ウィンド・アンド・ファイヤーの「セプテンバー」をBGMにして、くるりと投げたり投げられたりしていた。なんかいいよね。

祭りの最後の打ち上げ花火は、与那原の埋め立て地によって出来た運河沿いに座って見たのだけど、その時は、他の夏祭りでありがちな仰々しい音楽もなくて、ひたすら花火の「どーーーん　しゃらしゃらしゃら」という響きだけが聞こえて、風情があった。

祭りが終わり、与那原署のそばのバス停で首里行きのバスを待っていたら、祭りを堪能したらしいおじさん二人が、「あのバンド、最高だったなー」「でーじうまかったなー」「あれー、コザのフィリピンバンドやんどー」「あー、やくとう、あんなに上手やんやー」などと話していた。なるほど！　与那原の人たちは二次会にコザに行くというから、東海岸沿いには独特の文化圏があるのだろう。

次の与那原大綱曳まであと364日……。

一中一条会、戦前の首里の青春を偲ぶ

お盆が過ぎ、旧暦八月の十五夜になって、ようやく今年最初の台風が沖縄に近づいてきた。と思ったら、立て続けにやって来そうな気配。心のどこかで少し待ちかんてぃしていた台風だけど、実際やってきたらやはりやっかいなことではある。台風が来る前に今年の夏の思い出をふりかえっておこう。

今年のお盆の話である。実家のトートーメーの前で、来るか来ないかわからない親戚を待っていた。ふと本棚にあった『友、一中一条会』という記念誌を手にして読み始めたらあまりの面白さにあやうくウークイを忘れるところであった（というくらい熱中したという話）。

離島出身で那覇に出てきた父親はぼくが大学生のときに亡くなった。戦前は沖縄県立第一中学校、いわゆる「一中」に通っていた。父の世代は十三歳で入学して五年間通うはずだったが、二年生にあがるころには戦局は緊張を増し、授業のほとんどは軍事作業となり、軍事訓練としてモールス信号などの技術を学ばされた。そして一九四四年十月十日の米軍の大空襲、翌年三

月、つまり沖縄戦直前に「通信兵」として日本軍に現地徴用されて……という、幼くして沖縄戦の最前線に巻き込まれた学生たちであった。このすぐ上の先輩となると、大田昌秀・元沖縄県知事のように少年兵として学徒動員された「鉄血勤皇隊」である。ぼくの父親は離島出身だったので通信兵とはならずに島に帰されていたようだ。戦後、教育制度もかわり、父は糸満高校に入り直した。アメリカ世らしく「糸満ハイスクール」などと呼ばれたらしい。「一中」は、戦後「糸満高校首里分校」としてスタートしている。

そんな父親からは、島での集団自決の話も、ましてや一中時代の話もほとんど聞いたことはなかった。お盆は自分の祖先たちを迎えて偲ぶ行事だが、自分の父親の事すらもよくわからないとはいかがなものか。そう思って読み始めた『友、一中一条会』である。沖縄戦から四十二年経ってまとめられた一中六十期生たちの手記だ。戦前、戦中、戦後、共に過ごした日々と、いまは亡き友たちへの思いがびっしりと綴られていた。

ぼくがびっくりしたのが、戦争前の、首里の学生たちの活き活きとした様子である。彼らの中で一番人気だった食べものは、校内売店で売られていたポテトフライだった。すれ違う女学生のお姉さんたちに値踏みされたり、セーラー服姿をスーミーして喜んだり、勉学のあと近くの川で行水したり、名物先生にあだ名をつけたり（カンパー、ヘンリー、腕力、リトルー、クルー、コーイ少佐、チョッチョナーとか）、肝試し大会で宿舎から御茶屋御殿を通り、弁が岳へというコースを往復したり、那覇に下りて、映画をこっそりヌギバイしたり……。要するに彼らは戦争さえなければ、まぶしいくらいの青春を送ったはず。そしてそのひとりとしてぼくの父もいたはずなのだ。この記念誌が作られたとき、既に父は他界していたので、彼が一中時代、何を考えどう過ごしていたかはわからない。

今、ぼくは首里に住んでいる。弁が岳のすぐそばだ。そこは戦争が始まるまでは学生たちが肝試しをするような場所だった。そして沖縄戦では日本軍の通信施設があったため大激戦地となり、父と同級の通信隊の子どもたち（十四、十五歳なのだ）が戦死した場所なのである。今でもトーチカの跡がある。

お盆の日から数日間、ずっとこの記念誌を読み続け、一人だけ面識のある方を見つけた。二十年ほど前、新聞の対談でお会いしたＹ教授である。あの時、父と一中で同級生だとわかっていれば、もっと聞きたいことがあったかも……。Ｙ教授も数年前に亡くなられている。

全てはもう手の届かぬところにあるかもしれない。でもまだこんな風に、ごく身近に残された記憶、記録たちが眠っていることもある。この一冊と出会って、ぼくの首里の散歩がまた違った意味合いを持つことになった。

皆さんも実家に、親の世代、祖父・祖母の世代の記念誌があるのなら、手に取って少しだけ頁を捲ると、思わぬ出会いがあるかもしれない。

妙に見晴らしのよい場所から見えること

年の瀬や年始めには、忙しいはずなのに、なぜかしら街をぶらりと歩きたくなる。年から年じゅう、まち歩きしているんじゃないかと思われているが、年末年始の雰囲気のなか歩くというのは、またいつもと違う味わいがあるのだ。街の空気がその年の社会の雰囲気を凝縮しているように感じる、とでも言えばいいか。

ここ数年、那覇の街の風景は確実に変わった。風景が変わるということは、社会が変わってきているということ。話は少し大げさだけど、去年ぼくは様々なことを鑑みて、こういうことをメモ替わりのＳＮＳに記してみた。

歴史が地続きであることを体感することは大事。
そしてそれはけっこう誰でも出来ること。
扉を開けて外に出て歩き始めてしばらくしてまわりの景色をぐるりと眺める。
歴史とは私たちが目にする風景そのもの。

風景を時代の地層の断面図としてみたら、昭和の時代も平成の時代も確実に目にすることができるのだ。

那覇を今歩いて思うのは「空き地」が増えて見通しのいい街角が増えたなぁということ。老朽化したとされる建物や交通インフラ整備のため、いままで見てきた風景の一角がなくなり、ぽっかりと穴が開いたような空間が出現している。建物に遮られてた遠くの風景が思いがけず見渡せて、親しんでいた遠近感が少し狂う感じは不思議だ。

いろんな計画の思惑で性急に街並みが変化することに、とまどいと悲しみを感じる一方で、初めて見渡せる風景もまた今しか見えない時代の地層の断面かもしれない。そう思いながら、街の空き地を気にして、那覇の街をずんずん歩いてみた。

開南バス一帯はずいぶんと見晴らしのよい場所になってしまった。本格的な整備が始まる前に斜面が削り取られて地肌があらわになっている。ここは戦後那覇の発祥の地とでも言っていい場所で、自然発生的に市場とテント村が形成された場所なのだけど、それは周辺の土地と比べて高台にあったからなのだ。水はけがよかったのではないか。もうひとつ付け足すと、戦前そこには私立の開南中学校があり、校庭などが整備されていたということもあるようだ。その後、ガーブ川沿いの湿地帯に自分たちで土をいれたりして闇市は広がり、市場は公設化し、那覇最大の市場地域が形成されていく。

ぼくは開南育ちと言っていいくらいなので、復帰前後から昭和の終わりころまでの開南バス停の賑わいをよく覚えている。本屋、マチヤグヮー、パチンコ屋、レコード屋、レストランなどが並んでいた。南部からの買い物客は、平和通り、国際通り、農連市場などのアクセスポイントとして、このバス停を大いに利用したのだ。

農連市場の改築はガーブ川を挟んで半分の区画の工事が進行している。ぽっかりと開いた空間はあまりにもあっけらかんとして、すでにかつての光景を思い出すのが難しくなっている。そして今のこの光景も建物が完成すると消えてしまうのだ。

周辺の建物は歯かけ的にどんどん無くなっているけれど、農連市場のイメージである木造の迷宮化した市場の建物は、ガーブ川を挟んだもう一方でまだ健在である。ぐるりと周辺を歩いてみた。

「めんそーれ農連市場　そのほか仮設店舗も深夜から元気に営業中！」の看板を見つけた。昼間のそこはシーンとしていたが（市場の取引は深夜から朝方がメインなのだ）、面白くなってそのまま市場かいわいをずんずんと先に、奥にと進んでいった……。

第二部

「タコライスの衝撃　完全版」

二〇一七年から二〇一九年まで

すいスイーツ

茶色いのが多いのはきっと黒糖を使っているからかな。いや、きな粉のせいかな。おばぁちゃんが出してくれたお菓子も、だいたい茶色っぽかった気がするのは個人的記憶の改ざんかもしれないけれど、やっぱりどこか懐かしい味がする。

なにかといえば、最近食後のお楽しみとしてはまってしまった地元のお菓子のこと。近所のスーパーのレジまわりとか、仏壇にお供え用のお菓子のそばにおいてある甘い、あれである。

しかしあがらさー（蒸し菓子）テイストの味わいを好むようになろうとは、自分でも意外だ。蒸しカステラにハイガ蒸しパン、クラムパイ、よもぎ大福、きなこだんご……。みんな一口サイズ。ジャーマンケーキだって一口サイズ。お年寄りが好む味、というのはやはり偏見だろう。いやぼくもその境地の入口にたどり着いたのか。

最近、沖縄の雑誌でロハスな感じのパンやおしゃれなスイーツが紹介されているのを見かける。ああ美味しそうだなと思いつつ、遠出してその店まで出かける余裕とおしゃれ感のないぼくらとしては、まさに〝汝の足元を見よ！　そこに甘きお菓子あり〟である（伊波普猷先生すいません)。めちゃくちゃ美味しいー、ほっぺた落ちるーという感じではなく、ほっこり美味しいなぁと、地味にもぐもぐしてしまう感じ。

その種類の多さと、製造しているお菓子屋さんの地元感に感動した。我が町、我が村のお餅屋、お菓子屋さんが家内制手工業的に製造しているようだ。商品製造表示を確かめて、小さなお餅の名前、もちもちした蒸かしたパンの名前を確認するのも楽しい。

首里のスーパーで買っているから、まとめて個人的に「すいスイーツ」と呼ぶことにした。首里《すい》の甘いもの。

実際、首里は和洋菓子屋さんが多い。近所を散歩してたまに立ち寄って、その店オリジナルの名物まんじゅうとかプリンとか買ったりもしていた。伝統の琉球お菓子と和菓子、そして洋菓子が並んでいる光景は、沖縄の歴史の断片かもしれない。スーパーではそういう店はもちろん、浦添や那覇や中南部の店からやってきた商品も並んでいる。玉城のある菓子製造所の表示に「ナントゥの老舗」というフレーズを見つけて、ナントゥにも老舗があるのかと一口大の感動をした。このような身近な地産地消というのは、ぼくが仕事にしている「沖縄県産本」にも通じるものがある。いや見習うべき営業戦略があるのでは……なんてことまで考えながら味わっている。もぐもぐ。本格的に「すいスイーツ」をまち歩きのコースにして、今度散策してみようと計画中である。

そこに市場がある限り

年に一度というイベント、個人的な年中行事がいくつかあって、気がつけば季節ごとに参加している。梅雨明けのライブイベント「新良幸人presents 一合瓶ライブ」、秋の「おきえい通り一箱古本市」、そして春の「マチグヮー楽会」と、いずれも言い出しっぺのひとりである。最初は主催者としていろいろばたばたしていたが、いつのまにか、いち参加者として楽しむようになっている。

春のイベントである「マチグヮー楽会」は今年二〇一七年で九回目だった。マチグヮー、つまり那覇の公設市場かいわいを会場にして、市場《マチグヮー》で店を出している商売人、まちづくりのNPOの若者たち、市場を学問的に研究している学者、地元の市場利用&愛好者らが集まり、毎年市場のあれこれをテーマにして、研究発表、シンポジウム、ワークショップ、そして模合などを行うのだ。真面目に市場に関する諸問題を考えつつ、かつ市場の魅力を再発見してマニアックに楽しむ、ということで「学会」ならぬ、「楽会」と名付けた。

きっかけは、小松かおり著『沖縄の市場〈マチグヮー〉文化誌』という本を二〇〇七年に刊行したときに、那覇市第一牧志公設市場の二階で行った報告発表会である。マチグヮーをフィールドワークした研究内容を地元に還元する試みだったけど、これがなかなか楽しく達成感があって、つい年に一回は市場で集まろうということになったのだ。二月に行うようになったのは、旧正月、つまり市場が忙しい時期を越えてからということである。

継続していくには、いろいろやっかいごとが溜まってくる。楽しい裏には面倒くさいがつきものだ。それでも時代に寄り添い、または流されつつ、しかし断固として戦後の那覇、沖縄の歴史を背負ってきた存在であるマチグヮーのことを考えるのは、刺激的なのだ。面倒くさいことをすればするほど発見がある。自分の身近な場所の魅力、意義、そして変化を再発見していくことは、日常生活の上でも大切なことだと思う。

今年は「今なぜ公設市場が必要か」というテーマで二日間行った。その中でぼくが提案した企画は、まち歩き（やっぱり！）。題して「農連市場、深夜から元気に営業中 ～今しか見えない風景を見よう～」。市場を歩くというのは普通の事なのだけど、今、与儀の農連市場が建て替え中で、工事により市場周辺の建物がスクラップされて、妙に見通しのいい光景が広がっている。

市場の建て替えというのはなかなかの難事業である。東京の築地市場移転問題を見ていてもよくわかる。しかし実は、戦後発祥の牧志の公設市場も何度かの移転、立て替えを経験している。今、観光の名所でもある第一牧志公設市場の建物は一九七二年、つまり沖縄の日本復帰の年に出来た。そこも老朽化して立て替え問題の議論の真っ最中だ。一九五三年にスタートした農連市場も、一九八〇年ころには建て替え問題ですったもんだしてきた歴史がある。

替わりゆく風景を惜しみつつ、でもこのかいわいだって戦前は湿地帯、畑があるだけの場所だったということに思いを馳せれば（与儀の農連市場と近接している小、中学校の敷地も戦前は農業試験場だった）、新しく出来る市場の建物にノスタルジーを感じる子どもたちが二一世紀後半には登場してくるだろう。そこに市場がある限り……。

そんなこんなで三時間ほど歩いて語って農連市場のまち歩き。やはり再発見の連続だった。いつもはひとりでぶらぶら眺めている街角を、マチグヮー楽会の面々と歩く楽しさよ……。なぜ那覇に市場が必要なのか。答えは、歩いてみなくちゃわからない。マチグヮー楽会、いよいよ来年は節目の第十回。面倒な楽しみが続くだろう。

春の歩き呑み

最近気づいたこと。朝九時をすぎると、犬と散歩するおじさんが増える。犬を散歩させるのではなく、人と犬。おれとあいつ。対等な感じなのだ。春に誘われたせいではないだろう。彼らは群れることなく適当な間隔をとり、ぽちぽちと歩いている。何故だ。しかし犬を飼うことのないぼくは、その謎を解明することなく仕事場へと向かう。みなさんも気にして、午前九時の通りを眺めてください。

さてある週末。久々にひとりきりで夜の散歩をしようと思いたったのは春の陽気に誘われたせいである。那覇の壺屋・牧志あたりをほろり呑み歩きしよう。いや主体は「歩き」なので、正確には、歩き呑みである。ルールを決めた。店一軒につき一杯、もしくはほろ酔いワンセットのみ。店は初めて行くところ限定。

陽気に誘われたつもりでいたが首里は雨。しかたなく英国紳士の嗜《たしな》みの如く携えた傘を開く。那覇に下ると雨は止んでいた。ちぇっ。国際通りから浮島通りへ一方通行を逆に歩く。不便な自動車とは違って傘を手にぼくはどんな通りも、自由に歩ける。

通りすがりに、なじみのTシャツ屋で店主とゆんたく。沖縄の出版界とTシャツ作家さんとの意外な共通点に興奮して話しこんでいたら、すっかり通りは夜になっていた。いかん。今日はひとりを楽しむのだと、あわてて歩き呑み一軒目のクラフトビールの店に行く。

初めての店だと齢五十を越えても多少ミゾミゾしてしまう。広めのテーブルについたら真向かいに知り合いがいる。あっ。気がつけば、小禄のディープな民俗社会について嬉々として語り合ってしまった。彼はウルクムークなのだ（ドイツっぽい響きだが「小禄の婿」のこと）。なんとかビール一杯だけを死守し楽しい語らいを振り切って二軒目に向かう。

太平《たいへい》通りという、いまもっとも地元市場《マチグヮー》っぽい、開南の下町といった風情の商店街通りのはしっこに最近見かけた小さな串焼き屋へ。ここ数年市場近辺でトレンドとなっているちょい呑み屋の類である。あと一歩踏み出せばアーケードは終わり、水上店舗も途切れてしまう、いわば水上店舗王国の辺境の地。気を立て直して、五〇〇円セットをたのむ。串焼きが二本も付いちゃう。わーい。この後の用事も何もないのだが、追加注文はしないことを店の人に察してもらうため、しきりに時間を気にして「……一杯だけにしとくか」などとつぶやく振りをする。本当に口に出したらわざとっぽい、見抜かれてしまう恐れがある。あくまでも振り。すると背後から「アラシロさん、でしょう?」と呼びかけられた。違うのだが、多分顔がばれたはずなので振り向いたら、知らないおじさんである。

テレビで観てたよ、最近は出ないね、ラジオは? あんまり変わらないね……と一連の声掛けが続いた。テレビに週一で出ていたのは二十七年前なのだが、どうして人はそのことを覚えているのだろうか。毎回不思議でならない。その記憶力はいいが名前を読みそこねているおじさんと、いつの間にか話しこむ。那覇市最古のニュータウンのひとつ長田地区からここに呑みにくるんだという。地元の呑み屋は行きにくいのだ。わからないでもない。昔、この神里原の通りがもう少し狭かったころ、通りの電気屋さんが夕方になると大きなスクリーンを通りに出してビデオ上映していた、という。路上に座り込んで観ていた。中学生のころで、ブルース・リーの映画だったはずよ。おじさんの、記憶がとろけそうな話題を振りきって、さらに次の店へ向かった。

目指したのはえびす通り。ここは那覇市最古の木造アーケードがある通り。そのなかの小さな十字路でカウンター席が通りに面しているこれまたちょい呑みの店。おでんが二、三品に日本酒一杯付いて五〇〇円セット。わーい、わーい。ここではもう堪えきれず自ら隣に座っていた仕事帰りのお兄さんに話しかけた。この辺りは戦前は畑だったんだよ、ほらこれが昭和初期の地図と、いつも持ち歩いている地図を広げて話してたら、カウンター向かいの知らない顔のカップルが、「シンジョウさんじゃない」と言うではないか。あたっている。すべてお見通しの二人ときょとんとしているお兄さん。もうひとり呑みとかどうでもよくなって、昔の那覇ばなしを、更に別の地図も出して、ここぞとばかし喋ったのである。

ここで春のひとり歩き呑みは終了。モノレールの終電を気にしつつ、平和通りから国際通りへ向かった。牧志駅を見上げる蔡温橋のたもとにたたずみ、ここから渡り船が出ていればいいのになと思う。実際昔はここから壺屋へ、焼き物のためのタムン（薪）の荷揚げをするシキバ（敷場）があったのであるからして……。

翌日。昼間首里を歩く。もう春だ。森の緑が萌えていた。

浮島書店繁昌記　一日だけの本屋さん

一日だけの本屋さん。なんて素敵な響き。それは四月のある土曜日、那覇の浮島通りで、本を通して知り合った友人たち数名で開店した「浮島書店」という名前の本屋さん。

ぼくは本の編集を生業《なりわい》としているためか、まわりには自然と本好きの友人や本屋さんの知り合いがいる。ここ数年、老中（時代劇の人ではなく、「老後よりちょい前」という意味あいである）の楽しみとして、一箱古本市やら本を絡めたまち歩きやら、仕事を少し抜きにして、那覇の街角でブックイベントを行っている。

浮島通りの人気オリジナルTシャツ屋「琉球ぴらす」のOさんが、それまでずっと借りていた木造の可愛らしい店舗を離れるということになり、すでに引き払っているのだけども、まだ一か月ほどは借りているので、なにかおもしろいイベントが出来るんだったら使っていいよと、誘われた。同じ浮島通りに移動した琉球ぴらすの新店舗でTシャツを買いに来ただけだったのに、そんなうりずんの風のような誘いに乗らない手はない。ということで、思いついたのが「一日だけの本屋さん」だった。その店舗は、通りにかつてたくさんあった木造二階の狭い間口の建物。いずれ取り壊されるということで引き払ったのではあるが、商品棚や照明などはそのまま使えるという、なんて都合のいい条件。

棚を調整し、台を置き、参加する古本屋さん、本もあい仲間らと前日に新刊、古書、愛蔵本を持ち寄り、並べてみたら、なんか昔からそこにあったかのように、ちょっとした老舗のこじゃれた本屋さんのたたずまいになった。やはり五十年以上さまざまな店の店舗だっただけはある。どんな商品を置いても、店のたたずまいが包み込んでくれるのだろう。

浮島通りの名前にちなんで、集めた本のテーマはほんのり「浮」と「島」。こじつけでもいいから、というので並べられた本を眺めてほぉと声がでる。沖縄の本、小説、絵本、詩集、随筆、とにかく一日だけ並べる本たちだから、一期一会的な棚なのだ。

せっかくだから本を浮かせて販売しようということで、天井から吊してみた。テグスで結んだので、浮いているように見えなくもない。一人しか通れない狭い階段を上がる二階のスペースは、座り読みのコーナーをつくった。とっておきの古い雑誌を並べてみた。お宝は創刊一年ごろ七〇年代後半の「POPYE」、九〇年代那覇市が刊行していた雑誌とか。

一日だけの本屋さん「浮島書店」は口コミだけの宣伝だったけど、ネットでの拡散もあったのか、思いがけずたくさんの人が遊びに来てくれた。一日だけではもったいない、という言葉はくすぐったいが、こんな本屋さんが通りにあったらいいよね、というつぶやきには同感だ。いや、ぼくのどぅーちゅいむにーだったかもしれない。

本が並ぶと、人は足をとめる、時間をほんの少し緩やかに使う。来店したお客さんはじっくりと本を眺めているようだ。気がついたお客さんは浮いている本を見上げたりする。壁にはぼくの趣味である那覇の古い地図をポスターの代わりに貼ってみたのだが、それには特に声を掛けられなかった。しかたないので、なんとなく古い物好き、もしくはまち歩き好きそうなお客さんに声を掛けて説明する。このあたりが一日だけの本屋さんのよいところで、リピーターの評判を気にしないのだ。午後二時から浮島書店を出発して古地図片手にお客さんと一緒にまち歩きもできたからよしとしよう。

二階の座り読みコーナーはなかなか降りてこない人が続出した。青春がそこにあったようなのだ。雑誌は、泡盛と同じように、古くなると美味しく味わえるのである。

何故か夕方のテレビニュースで取り上げられたこともあって、浮島書店は夜七時の店じまいまで客足は途切れなかった。約束通り、一日だけの本屋さんは、その日のうちに店をたたんだ。かたづけられた店内は不思議と暖かさに包まれていた。ぼくたちはとても満足した。いつか誰かが「そういえばこのあたりに本屋さんがあったよね」と呟いたら、もう完璧である。

松の浦断層と田園段丘の旅

浦添から宜野湾まで歩く

梅雨入り直前のある日、雨の具合を気にしつつ浦添から宜野湾までふたりで歩いた。市町村の境界線を越えると「散歩」よりも遠出感が出てくるが、距離的には首里から旧那覇(西町・東町)まで歩くのと変わらない。でもやはり車で通りすぎる街をじっくり歩くとなると、初めて訪れるような気分になる。

毎年この時期、宜野湾真志喜《ましき》に住む友人宅にお呼ばれされ、楽しい一夜の宴を過ごしている。例年同じく招待されている友人夫婦の車に同乗していたのだが、ここ数年の我が家の「散歩・まち歩き」熱の高まりを受け、今回は「歩けるんじゃやない?」という気分になったのだ。浦添から宜野湾にいたるダイナミックな地形を一度たどってみたかった。

出発直前、雨がぱらついたので躊躇《ちゅうちょ》したが、東洋バスで首里から浦添城《ぐすくま》間まで行き、そこからスタートすることにした。バスとモノレール乗車は、まち歩きのひとつである。

城間から伊祖《いそ》、そして港川《みなとがわ》へと歩く道すがらは、計画的に整備されたであろう住宅地が整然と続いている。戦後というよりも復帰後、那覇郊外のベッドタウン化にともない開発された住宅地なのではないかしら。学校とその周りに広がる住宅地の中をゆるゆると歩く。道路は直線的なので、できるだけ高低差のある道を選ぶのだが、いわゆる「すーじ小」はない。

電柱を確かめると、「松原」とある。これは住所ではない。電柱は、電気・電話などのいくつかの用途に使用されているのだが、それに応じて別途で独自の表示が貼られている。これがまたいい味を出していたりする。住所名を使っている場合もあるし、繋げている地域の頭文字の場合もあるし、まったく想像のつかないものもある。便宜上ぼくは「電柱地名」と呼んでいる。「松原」の表示を見て、ああそういえばさっき通った公園も松があったなと気がついた。

浦添港川といえば、外人住宅地跡がおしゃれなカフェエリアになっている一画が有名だが、そこは通らずに周りの普通の住宅地を歩いていくと、高層マンションが建ち並ぶエリアが見えてくる。なぜこのあたりにマンションが集中しているのかというと、高台にあるというだけではなく、そこが断崖になっているからだ。断崖の高層である。見晴らしがいいに決まっている。まるで城壁のように並んでいるマンションの切れ目に、小さな公園がある。ここも松がいくつも植えられていた。いやもしかしてもともとあった小山を整備したようなので、自生していたのかしら……。その松山を少しだけ登ると、そこは断崖。一挙に見晴らしがよくなり、宜野湾・北谷あたりの西海岸が一望できる。このコースのハイライトはここである。小公園の裏から断崖を一気に降りることの出来る、アスレチック公園的な木造の階段が設置されているのだ。

高低差をじっくり味わいつつ断崖を降りていく。なぜか途中に造花の花束が欄干にくくりつ

けられていた。見なかったことにして無事、下の広場に到着。子どもたちがバスケットしている。振り返ってみて、「ああこれはきれいな断層だな」と気がつく。あとで調べてみたら、「伊祖断層（浦添断層）」と名付けられていた。ぼくはここだけの風景を「松の浦断層」と命名したい。港川は、断層の上と下に分けられているのを体感し、ここから牧港川を越え、A&W《エンダー》を過ぎ、宇地泊《うちどまり》川を渡ると宜野湾市である。

二つの川によって分けられる浦添と宜野湾の境界は歩いていても少し混乱してくる。浦添と宜野湾が逆断層的に混じり合っているような……。

電柱を確かめながら、出来るだけ国道五八号に近付かないようにして、楽しい夜の宴の待つ友人宅を目指す。

宇地泊《うちどまり》、大謝名《おおじゃな》、真志喜、そして大山あたりは、旧部落と米軍住宅地だったエリア、そして米軍基地開放によって新たに開発されたエリアが主要道路を隔てて並列的に並んでいる。時代が重なり合っている住宅地は歩いて大変楽しい。

旧パイプライン沿いの住宅地を歩いているうちに、はたと気がついた。一度はその場で口に出してみたかった。「おっ、海岸段丘か」気分はすっかり「ブラタモリ」である。

米軍の普天間基地は琉球石灰岩の台地にあるのだけど、その西側が浸食されて出来た海岸段丘に、真志喜、大山の集落は、段々状に広がっている。ところどころの小さな断崖には豊富な湧き水がある。琉球石灰岩×断崖＝湧き水　なのである。試験に出ないが沖縄のまち歩きでは必要な知識です。

こんな風にほろほろ歩いていると、その地形の有り様が体感できる。もともと斜面に広がる集落フェチなので、この一帯はぼくの好みだったんだと再発見した。

大山の田園風景・ターンム畑の風景を眺めたあと、無事、真志喜の友人宅に到着。お土産として今日散歩した風景の写真と動画を見せる。「松原」「中道」「Ａ＆Ｗ幹」「寿」「田園」電柱だけみると、また違った旅をしてきたみたいだなぁ。

甘く香る御嶽の樹

今年の小満芒種の前半は雨も少なく心配していたが、このところの梅雨の駆け込みのような大雨で、島全体は、夏を迎える準備が整ったような気がした。

アカショウビンも、いつのまにか鳴き声が聞こえなくなった。今年はいつもより長くとどまっていたようで、五月の初めから六月にかけて、あの気持ちのいい鳴き声が早朝の首里・弁が岳周辺に響いていた。同じころ、窓を開けると、とてもいい香りがしてきた。甘い花のふんわりとした匂いである。森全体から漂ってくるようなこの香りはいったいなんだろうと思いつつ、朝、窓を開けるのが楽しみだった。ある朝、早起きしてその香りがどこから来るのかを探しに弁が岳の中を歩いたが、結局よくわからなかった。

植物に詳しい友人に聞いてみると、どうやらその香りはクロツグらしい。御嶽などの拝所によくあるヤシ科の植物である。この時期、花が咲いて甘い香りを放っているという。「石灰岩地帯、うす暗いガマ（洞窟）や御嶽の近くにはたいていこの植物が生えている」のだそう（『おきなわ野山の花さんぽ』安里肇栄著 ボーダーインク）。

弁が岳（嶽）は、世が世なら首里随一の聖域といっていいので、さもありなん、と納得した。クロツグの花はまだ見ていないが、きっとこの森のどこかに生えているのだろう。

梅雨の切れ間をぬって、知念半島をドライブした。ふと思い立って第一尚氏由来の拝所・月代宮（佐敷上城跡）に寄ってみた。与那原・佐敷・大里・知念・玉城あたりの、風光明媚な場所を目指してドライブすると、必然的に拝所・御嶽めぐりになるのだ。

すると、ここであの香りに遭遇したのである。甘くいい匂いが御嶽の下の広場に漂っている。少し探して見つけた。クロツグである。初めて対面したが、なんかよく知っているような気がする。『おきなわ野山の花さんぽ』によると、「葉柄は中がフカフカ、重さ、太さ、曲がり具合から手ごろな木刀。少年たちがこれでよくチャンバラをしてた」のだそうだ。

ひとけのない場所でこの香りに包まれながら、眼下に広がる佐敷、中城湾を眺めるのはなかなかいい気分だった。三山統一を果たした尚巴志《しょうはし》も、この香りに包まれていたのだろうか。葉柄を刀に見立てたりして。

数日後、斎場御嶽《セーファウタキ》に、世界遺産になってから初めて行ってみた。二十数年ぶりである。すると、そこでもあの甘い香りがしたのである。そりゃそうだ、「石灰岩地帯、うす暗いガマ（洞窟）や御嶽の近くにはたいていこの植物が生えている」のだから。

夏至を過ぎた朝、梅雨前線が北上するのを待っていたかのように、弁が岳にアカショウビンの鳴き声が響いた。どうやら今年の夏は弁が岳の森で過ごす気かもしれない。

火立毛から太陽の烽火を眺める

セミの声で目覚めるようになった。寝ている部屋の、すぐそばに植えているクルチ（黒檀）からセミの声がユニゾンで押し寄せてくる。この家に引っ越したときに植えた三本のクルチも、気がつけばそれなりに背も高くなり、枝振りもしっかりとしている。三本というのはぼくたちヤーニンジュ（世帯）の分である。

ためしにそのクルチにホースで散水してみた。ぶわっと何匹ものセミが飛び出してきた。おう、慌てふためいている。くるりと半円をかくもの、電線にすがりつくもの、違う木のもとに飛び立つもの。想像していたよりも多い。ちょっとおもしろくなって、毎朝、水掛けのときに、セミシャワーと称してシャーと散水している。セミの合唱隊にはすまないが、ちょっとした気分転換である。

今年の夏の始めは、空気中のゴミが少ないのかどうかよくわからないが、首里から見る慶良間の島々の姿がいつにも増して鮮やかな日が続いていた。島の山肌の緑、砂浜の色合いもびっくりするくらいくっきりと見える。近眼で乱視で老眼のぼくが言うのもなんだが。

夕方、仕事を終え帰宅途中、空がとても綺麗な夕映えなので、思わず首里のはしっこの丘に寄り道した。西の海、慶良間の島々の向こうに沈む夕日が見られるかもしれないと。

車を寄せて、誰もいないはずの丘に登る。そこは首里王朝時代には通信手段としての烽火《のろし》をあげるところだった「火立毛《ヒータチモー》」である。丘のてっぺんが小さな毛《モー》（広場）になっている。

誰もいないだろう、と思うのは、この丘の周りが、お墓だらけだからだ。小さなお墓が並んでいるなか、お騒がせしてすいませんと、お墓の主さんたちに会釈しながら、夏草をかきわけ登るのである。サシクサがからみつく。草刈りのあるお盆はまだ先だ。

街のはしっこの火立毛から眺める夕暮れは、なかなかのものだった。那覇の街並みが黒々としていくなか、西の海では、混沌とした茜色のスペクタクル、とでもいいたくなるような壮大な景色が広がっていた。夕焼けのことを「アカナー家が焼けているよ」と歌う沖縄の童歌があったが、確かに燃えている。アカナーはキジムナーのようなものだ。ゆったりと流れる大きな雲の切れ間に沈む太陽からの合図、烽火のようだ。何を伝えたいのかはわからない。

日は毎日沈んでいるのに、ぼくたちはその劇的な光景を当たり前のものとして見過ごしている。それは仕方ないことだろう。少し顔をあげれば、遠くを眺めたらとは思うが、その少しが出来ないのが、都市生活者の日常なのかもしれない。でも大自然はすぐそばにあるのだ。

誰もいない火立毛から、静かに太陽の烽火が消えていくさまを眺めた、わずか十数分間。長い夏の始まりに身も心も染まった。この夏が夕方と星晴の夜だけだったら最高なのにナー。

ちょっとシュールでファニーな神さま

首里赤田町のみるくウンケー

雨上がりの首里の町は、ようやく一息ついたかのようだった。今年の夏の暑さは格別だった。お昼過ぎからポツポツ降っていた雨は静かに止んでいた。それではと、久しぶりに首里赤田《あかた》町のみるくウンケーの行列を見に散歩しよう。多分二十二年ぶり。

八月後半の週末、あちこちの自治会や団地などのコミュニティー単位で夏祭りが行われていた。首里でも、公民館の敷地で小さな櫓《やぐら》を準備している光景を見かけた。道路沿いのフェンスや掲示板には、開催日時を知らせる横断幕や手書きのポスターも貼られていた。それぞれの自治会や子供会が中心となる祭りなので、市町村単位の大きな祭りのように、地域外からわんさか参加するものではない。あくまでも地域住民のためのものだけど、首里赤田町はちょっと違う。なんといっても「みるくウンケー」があるのだ。みるくの神様のお迎え、である。

「みるく」とは、「弥勒神」のことで、沖縄では古くから伝わる童謡「赤田首里殿内《アカタスンドゥンチ》」でおなじみの神様。沖縄の子だったら「みーみんめー　みーみんめー　ひーじんとー　ひーじんとー　いーゆぬみー　いーゆぬみー」と口ずさんだことあるでしょう。見た目は日本における七福神のひとり・布袋さまである。いわゆる来訪神で、八重山各地の豊年祭で登場する弥勒神は有名であるが、しかし首里赤田町は、なんといっても「赤田首里殿内」発祥の地。いわば本場もん？　なのである。（ちなみに八重山は「弥勒節」があります）

三百年ほど前から始まり、一時期町内の行列は途絶えていたが、一九九四年に復活して、以来毎年行われているようだ。毎年、道ばたのポスターや横断幕で見てはいたのだが、復活した翌年に行って以来なかなかタイミングがあわなかったのだ。路次楽隊《ろじがく》という古来から伝わる楽器の演奏隊を従えて行列するのだが、最近では中国福州で公演まで行っている。みるく神のモデルの布袋は、そもそも実在した中国の禅僧である。里帰りしたようなものかもしれない。

そんなみるく神はというと、祭りの当日、赤田町のすーじ小を行列して、道ばたで待っている、頭《こうべ》を垂れた人々の頭上に大きな扇をかざして、果報《カフウ》を与えていく。

赤田公民館付近をウロウロしていたら、いた、いた。みるくウンケーの行列を待つ町内会の人たち。遠くの方から、ぷぉーぴぃーひゃるらー、シャンシャンシャンと楽器の音が聞こえてくる。やがて、みるく神行列御一行の姿が見えてきた。みんな静かに待っている。小さな子どもがたじろいでお母さんの後ろに隠れたりする。たしかに、このみるく神、顔つきもリアルなおじさん顔で、なんといっても、でっぷり中年太りの腹をわざわざ着物を開《はだ》けて出しているのである。日常で出会ったらヤバイ。しかしかわいい靴を履いている足元は見逃せない。このファニーな異形の姿こそ来訪神たる所以なのだ。

ぼくたちも便乗して道ばたで頭を垂れてみたら、みるく神から果報の扇をかざされた。ちょっとうれしい。

行列のハイライトは、首里城の裏門にあたる継世門《けいせいもん》で赤田町全体を言祝《ことほ》ぐかのように扇をひらひらとかざすところ。この門は別名「赤田門《あかたじょう》」と呼ばれている。

最終的ゴールは赤田公民館で、すでに夕方から行われる夏祭りの準備は出来ている、いやもう始まっている。赤田公民館は、実は首里殿内跡なのである。公民館の中には、赤田弥勒御堂が設置されて、みるく神が祀られている。

みるくウンケー御一行が戻ってくると、みんなにこやかに拍手パチパチ。そしてしばらくすると、みるく神は、櫓の上に設置された祭壇に鎮座する。あのお顔とお腹だけのトルソーで……。衝撃的な、シュールな、そしてなんともほほえましい光景なのであった。

かつてここにはロマンがあった

今年は格別夏が長い。

一体どうなってしまったのか。秋の気配がやってきたかと思うと、あっさり消えているではないか。台風明けの少し肌寒い風が吹いても、日差しは夏のままだ。小さな秋を見つけきれないではないか。

しかし読書の秋は譲れない。ここ数年恒例となっている『ブックパーリー OKINAWA』が九月から十一月にかけて行われているのだ。そろそろイベントも残り少なくなっているが、ブックパーリー OKINAWA 2017 実行委員会主催の「かつてここには町の本屋さんがあった～なつかし写真展」が沖縄県立図書館で行われる。かつて沖縄のあちこちにあった「町の本屋さん」は、ここ数年すっかりその数が減ってしまった。これは全国的な傾向であるが、この写真展では戦後から現在までの町の本屋さんの写真を展示して、あらためて本屋さんについて思いを馳せてみようというもの。金武や名護などあちこちで行われていた展示会の最後として県立図書館で行われる。那覇でずっと町の本屋さんにお世話になっている身としては、懐かしい本屋さんの面影をじっくり偲んでみたい。楽しみにしている写真展である。

しかし街の風景の中に映画館と本屋さんが消えていくのは寂しいものだ。ふと気づいたら、小さいころから立ち寄っていたなじみの本屋さん（新刊書店）は、ほとんどなくなってしまった。

そのかわりというか、ここ数年は那覇のユニークな古本屋さんに頻繁に立ち寄るようになった。その中でたぶん最も古いであろう「ロマン書房牧志店」が突然閉店してしまった。店主さんが急逝したとのことだ。

ロマン書房牧志店は大学生のころから利用していたから、かれこれ三十年以上の付き合いだった。ロマン書房本店は二十年程前になくなっているので、ロマン書房の名がこれで消えてしまう事になる。特に親しく言葉を交わしていたわけではないが、やはりショックである。ロマン書房牧志店で最初に買った芥川賞作家・東峰夫著『オキナワの少年』は今でも大切に持っている。中古レコード、ＣＤのセレクトも充実していた。

今年の六月、本もあいの仲間数人を連れて「ちょっと入りづらい本屋さん巡り」をしたときにも、ロマン書房牧志店は外せない店であった。店主さんが手書きしていた、過激で風刺が効いている社会時評的な張り紙が独特の店舗景観を作り出していて、知らない人にとっては入りづらかったらしい。

ぼくにとって、街の風景を異化するロマン書房牧志店は、その風貌《ふうぼう》で薄皮のような那覇の過去と現在をピン止めのようにつなぎ止めていた存在だった。

しかし、見慣れていた風景はこのように突然消滅する。まさに「かつてここには町の本屋さんがあった」のだ。またひとつ、街角からロマンが失われた。嗚呼！

のうれんへごう!

那覇・開南バス停近くで育ったぼくは、「農連市場」は幼いころからの馴染みの風景だった。通称「のうれん」。牧志の公設市場とは違って、朝早く、いや深夜から活況を呈す市場だ。那覇近郊の農家から持ち込まれる野菜を主に業者に卸す市場なのだ。あらためてその歴史を確認すると、戦後しばらくして那覇市により牧志の公設市場が開場された後に、琉球農業連合組合（後のＪＡ沖縄）が、野菜を直接販売・卸したい近郊農家に利用してもらうために作った市場で、名称はその略で「農連《のうれん》」なのである。一九八〇年代には老朽化により立ち退きの危機もあったが、「農連中央市場事業協同組合」を設立して管理されてきた、という。

近年は、昼間行くと老朽化した木造の市場の中はうす暗く、人影はまばらだった。それでもぼくの小さいころは、のうれん周辺はそれなりに一般客も普通に買い物できるくらいに売り場は開いていたような気がする。昔ながらの雰囲気が残った市場として、ここ数年は那覇まち歩きツアーでも好評のコースとなっていたようだ。

その農連が、老朽化した市場を一掃してあらたに複合型の市場施設を建てた。その名も「のうれんプラザ」。ぼくは去年十一月のオープン時から興味津々で通い始めた。

外観は、あの農連とは思えないような立派なもの。昔ながらの市場の雰囲気から遠く離れているので、がっかりしたという声は多く聞いた。またひとつ、ゆったりとした昔の那覇の街の風景が失われた、と。とりあえずぼくは、のうれんプラザを、ずんずん散策することからはじめよう。

建物の正面から中にはいると、飲食店が並ぶスペースが小さな商店街のよう。せんべい屋さんがコーヒーショップをやっていたり、青果卸の店が食堂・飲み屋をやっていたりと、よく見ると新しいのうれんの様子がわかってくる。

まずはフルーティーなサンドイッチ屋さんでジュースを飲みながら読書してみた。それから山羊汁もあるスナックっぽいそば屋、テイクアウトもあるさしみ屋の寿司定食、沖縄産のイタリア野菜（近郊農家で作っている）専門の店などを眺めつつ、のうれんプラザの様子を味わってみた。まだ開いてない店舗もある。日々少しずつ変化していくみたい。このあたりのざっくりとしたオープンの仕方もおもしろかったりするのだ。普通のショッピングモール的な商業施設だったら考えられないでしょう。

深夜から賑わう、農連本来の卸スペースは建物の奥、川沿いに面したところにあり、昼間は昔のように店も閉まっていて閑散としている。そこだけ見て市場の賑わいがない、なんて感じる人もいるよう。そういう方は深夜一時に来てください！　その時間の賑わいとその時にしか開かないそば屋もあります！　と、のうれんプラザの方に熱く強く言われた。

　要所要所にある「もやし屋」さんが、のうれんの過去と未来を表しているような気がした。以前と同じように、店の中、外でまーみなーのしっぽ（根の部分）をとり続けているおばちゃんたち。話をきいたら、「うちは業者から注文されたものをやっているから、以前とかわらない。ここは店の前においていたら通りすがりに買っていく人もいるので、前より売れているよ」とのこと。そう、以前、昼間は一般の買い物客は少なかったのだ。新しい客層との出会いがはじまっているのかもしれない。

　オープン以来、いろんな意見が出ているのうれんプラザ。特徴的なのは、きわめて批判的な意見と、ぼくのように「なんとなくおもしろい、可能性あるかも」と感じる意見にぱきっとわかれていることだ。ぼくは、のうれんプラザを勝手に応援することにした。自分なりに使いこなして、シマー化してみたいのだ。

　戦前、この場所は農業試験場の農場だった。まわりに集落がなかったガーブ川沿いの土地。沖縄戦で地元に帰れなくなった人々が集まり、開南周辺に闇市が出来て、それが行政指導のもとで牧志公設市場に集約されていく。農連市場は、こうした流れの中で公設市場とはまた違う目的を持って新しく出来た市場だ。つまり始まりは何もないところに出来た新しい市場だったのだ。その流れを途切れなくつなげた「のうれんプラザ」もまた新しい市場なのである。

　そんな市場の始まりを見られるなんて、ちょっとおもしろいことだと思うのだ。

「タコライスの衝撃　完全版」329《サンニーキュー》号文化と58《ゴッパチ》号文化論序説

「魚座の会」という飲み会でのことがなかなか衝撃だったのでここに記しておきたい。

「魚座は変わり者が多いという風評があるらしいがそうでもないだろう」ということで始まった会。言い出しっぺの魚座のふたりを軸にして、その時々でなんとなくピンときた知り合いを呼んで、ただ楽しくおしゃべりするというものだ。

その晩も、ゲストが数人、うちなー・やまとぅ、出身も世代も違うものどうしで、とりとめのない会話に花が咲いた。いつもはタコパ（たこ焼きパーティ）なのだが、今回は鍋を囲んでいる。

しばらくして、なんのきっかけかは忘れたが、昨今の沖縄生活文化について、酔うと一家言在るワタクシが「タコライスって、一九九〇年代初頭の那覇では知っている人がほとんどいなかった」という話をはじめた。

そう、今でこそ沖縄の郷土料理として全国に紹介されるまで成り上がったタコライスであるが、もともとは金武《きん》町の米軍基地近くの「パーラー千里」が発祥の地である。一九八〇年代の中ごろのことで、そこから中部の基地の街に広がった。

　ぼくは、一九九〇年に創刊したコラムマガジン「Wander」の企画で、宜野座《ぎのざ》出身の女性が「タコライスは、故郷の味！」と断言したのにびっくりして、パーラー千里まで一緒にタコライスを食べに行ってインタビューしたことがある。タコライスって、タコを炒めたチャーハンみたいなものかと思っていたのである。

　その頃、那覇でタコスというメキシコ料理を出す店はほとんどなかった。タコスを食べるためにコザの「チャーリータコス」あたりまで出掛けたものだ。そして当時ぼくはタコスとは出会わなかった。金武からじわじわ南下途中だったのかもしれない。（九〇年代前後、宜野湾の沖国大、中城の琉球大学あたりの学生たちにはすでに定番だったという話は最近知った。タコライス文化圏は、パーラー千里が始めたタコスのチェーン店「キングタコス」の広がりとともに南下したが、キングタコスの店の南限は宜野湾だったみたい）

　しかしご飯に洋食の具を載せるというカレーライスにも似たキャッチーさによって、いつのまにか地元食品メーカーがレトルト食品として販売するころには、すっかり県民食となり、全国的に知られるようになった……。

　ここまで話を展開したところで、「でもうちの母は、南風原がタコライスの発祥の地って言っているんですよ」と、魚座の女性が新説を繰り出してきた。しかし沖縄ローカルカルチャーに一家言在るぼくはピンッ！　ときた。「それはきっとサンニーキュー沿いにあるドライブイン文化だっ」

沖縄島の東海岸側をはしる県道329号《サンニーキュー》は、与那原、南風原といった南部東海岸側と中部の文化発信拠点・コザとを結んでいる。与那原の人たちは、気軽にコザまで呑みに行くという話を聞いて、なるほどなぁと思ったことがある。与那原まつりで、やたら上手なフィリピンバンドがライブしていたのを見たことがあったけど、そのバンドの店はコザであった。与那原はコザ(中部)文化の影響を、那覇とは違って、ダイレクトに受けているのだ、たぶん。

さて、そのコザ文化を中継していく329号沿いにはドライブインの老舗が点在している。そのドライブインのメニューにタコスがあることは自然だ。キングタコス以前にタコライスが南風原に到着していた可能性はとても高いと思われる。

そうか、沖縄本島のサブカルチャーの流れを考えるときに、コザとか那覇とかざっくりと広域の文化圏を考えるのが常だが、58号《ゴッパチ》の西海岸ルートと329号の東海岸ルートという風に考えると、新しい文化がどのように伝わっていったのかを考える際に極めて有効な視点になるのではないか……などと、酔っぱらいならではの思いつきで心静かにうかれていたら、一番若い参加者のKくんがこう言い出した。

「タコライス、美味しいですよね。最近チャーリータコスというところで食べたんですけど、美味しくて」

へー、チャーリータコス行ってわざわざタコライス食べるんだ。というかチャーリーってタコライスってあったっけ。あるかもね。

Kくんの話は続く。

「そこのタコライスは変わってて、なんか皮にタコライスが挟んであるんですよ。ナンみたいなものを薄くして揚げた感じの皮なんですよ。それに挟んで……」

一同、一瞬の沈黙ののち、騒然とした。彼は生粋の沖縄県民である。南部の西海岸側の出身だ。

ちょ、ちょっと待てKくん。落ち着け。タコライスって、何だと思っているの？

「スーパーとかに売っているあれ、ですよ。家でも食べたりしているし、学校の給食でも食べてきたし」

違うんだ、いや当たっているけど。……ま、まさか、タコスを知らないのかっ。タコライスは知ってるのに！

タコスというメキシコ料理があって、君が食べたコザの老舗チャーリーのタコスが、それだ。タコスが先にあるの！　その具をライスに載せたのがタコライスなの。まずはメキシコに謝れ！　インドのナンは知ってるのに！

Kくんは動揺しているのかしていないのか、表情からは読みとれない。さらに質問した。

「じゃあ、タコライスのタコって何だと思っていたの？」

「ライスに載っている具を〝タコ〟っていうのかと思ってました」

爆発的に、腹がよじれるぐらいに、笑ってしまった。（その場では笑ってしまったが、それは当たっていた。様々な「タコ」（具）があるから、複数形で「タコス」なのである。スマンK君）

そうか、南部の西海岸側のKくんは、タコスより先にタコライスを知ってしまったのだ。タコライスが沖縄県内ですでにメジャーになってスーパーや学校給食で身近な存在だった世代なのだ。

その晩集まったオトナたちは、学校給食にタコライスがある、ということにびっくりしていた。ジェネレーション・タコライス・ギャップはさらに盛り上がった。

さてその夜、魚座の会がお開きとなり、首里の家に戻るために、ぼくは独り、誰もいない深夜の那覇の街を歩きながら考えた。

タコライスとタコス。こんな小さい島でも文化の波はこのように伝播したり逆流したり渦巻いたりしている。そしてきっと329号文化と58号文化があるに違いない。またひとつ楽しい課題が増えた。（もしかしてKくんが特異な存在であるという可能性もあるが）

台南で昔の那覇を思ふ

東アジア出版人会議という国際会議に参加するために生まれて初めて台南《たいなん》へ行った。台湾島の南にある街だ。実は台湾に行くこと自体初めてなのだが、ぼくのまわりの友達は台湾によく遊びに行く人が多く、なんとなくかってに行った気になっていたのだが、実際のところ、やっぱり初めて来た気はしなかった。

会議の行われた台南は、台北よりも古い地域だという。台北から高速鉄道で二時間くらい南に下った熱帯地域で、戦前からの古い街並みが残る古都といった感じ。宿泊するホテルに向かうバスから眺めていると、通りのあちらこちらに日本統治下時代の石造りの立派な建物が残っていた。威風堂々という感じの建物の間を埋めるようにして、大小様々なビルがびっしりと立ち並ぶ風景は、やっぱりなんだか以前どこかで見たような気がしてしまう。デジャブとはまた違う感じ……。

建物そのものが歩道を覆うひさしというかアーケードになっていて、軒先には、食堂が屋台のようにテーブルを出していたり、バイクや車が突っ込まれている。間口は広くないが、長屋のような細長い感じの間取りが多くて、いろんなタイプの店舗が並んでいる。食堂、ブティック、電気屋さん、こじゃれたカフェ、占い屋さん、病院、ヘアサロン、屋台……沖縄をはじめとして日本の地方都市で失われつつある、活気のある商店街という言葉がぴったりだ。八〇年代の国際通りを十倍にした感じというか……どんなよっ！

ホテルについてさっそく周辺の通りを散歩してみたら、なんだかタイムスリップした感じとなり、楽しくなってしまった。通りを少し外れると、行き止まりのように見えてどこかに通じるというすーじ小もちゃんとありました。余裕で散歩して、気がつくと迷子になってしまった、オトナなのに。やはり異国でありました。

会議は、台湾の出版人たちがホストとなり、中国、香港、韓国、そして日本の出版人がテーマに応じた発表を二日間びっしりと行う。そのなかに交じってぼくも沖縄の出版事情について語った。沖縄（琉球）も東アジア出版界の一員である、というのは、ちょっと大げさかなと思うのだが、気にしないで、むかし編集した『ＨＡＰＰＹ ＩＳＬＡＮＤの本』（エフエム沖縄・多喜ひろみ編）について発表した。優秀な同時通訳の方が、中国語、韓国語に訳しているのだが、はたして理解してもらえただろうか。ラジオのリスナーたちが、葉書、ＦＡＸ、メールで投稿してきた楽しいお便りをまとめて本にしたんですよ、そんなハッピーな時代があったんですよ……。

会議の日程が終了したあと、台南の歴史を感じる遺跡、廟《びょう》や博物館を訪問するバス旅行《ツアー》に参加した。台湾の中でももっとも古い都市・台南は、もともと小さな島があって、一六世紀ごろから中国近海で交易（密輸入も含む）する中国、日本やヨーロッパ各国の商人たちの船が立ち寄るようになって貿易港となり、浅瀬を埋め立てしているうちに、陸続きになったのだそう……。ほとんど古琉球時代の那覇の成り立ちと一緒である。

そうか、そうか。それでなんとなくデジャブ感があったのか、とかってに納得しちゃおう。ガイドの方が、このオランダ商人が建てた城は海のそばで、通りの向こう側からは海岸線でしたという説明に、三重城《ミーグシク》とか東町の大市場《ウフマチ》、久茂地川あたりを思い浮かべてみた。

泊まっていたホテルの真向かいにある「林百貨店」は、戦前立てられた日本のデパートの造りをそのまま残していたレトロな佇まいが素敵だった。戦前の那覇のメインストリート（いまの西町・東町あたり）にあった山形屋がこんな風に残っていたらなぁと、少しだけノスタルジックな気分になったのでした。

「電柱地名」をたどっていくと

たまに呼ばれて人前で話をする。苦手である。六十分から九十分ばかし喋ったのち、二時間ばかり落ち込む。またしてもとっちらかってしまった……。散歩の話をしているのに、話は脇道に迷い込み、自分が話そうとしていたことから遠く離れ、迷子になっている。この繰り返しである。

那覇の街作りについて市民がいろいろ夢を語るという会があり、そのプレイベントとして、今回ぼくが常日頃行っている（というほどのことでもないが）まち歩きに関するトークを行った。プレ、つまり前座のようなものだ。気楽に喋ろうとしていたけれど、案の定、最初の三十分で、まだ全体の構成のなかの「そのいち」くらいしか喋っていないことに気がつき、あせる。喋っているうちに、事前の構成内容は崩壊し、自分でも何を言いたいのかわからないまま、予定の時間は迫ってくる。しかしこういうときにこそ欲が出る。せっかく用意したのに、もうひとつくらいネタを話したい。

で、とっておきの「電柱地名」を紹介した。

みなさんは生活の中で使っている住所・地名のほかに、知らず知らずのうちにあなたの周りを取り囲んでいる地名があることを知っていますか。

それは散歩の途中で絶対見かけるもの。電柱です。電柱は、現代生活に欠かせないライフラインである電気（電線）を、様々な場所にいきわたらせるために必要なもの。他にも電話線だったり、いくつかの線を繋げていますね。近所の散歩程度で歩く道のそばにも必ずあるといっていいでしょう。

ぼくは、まち歩きするときにはかならず電柱の、あるポイントを確認します。よく見ると、電柱にはいろんな表示がなされているのです。その中で表札のように、ドンと書かれているものがあります。単純に考えれば、その電柱がある場所を表しているように思うでしょ。でもことはそう単純じゃないのです。

例えばあなたは那覇で「久美」という地名を聞いたことがありますか（写真①）。では「浜松」が那覇にあることを知ってますか（写真②）。さらに「壺松」とつづいて（写真③）、那覇の電柱がまるで「おそ松さん」状態になっていたことを！

首里の金城町にある電柱の名前が「繁多川」だったり、首里の鳥堀町にある電柱が「当ノ蔵」だったりもします。

最初、ぼくもなんだかよくわからなかったのですが、その電柱たちをたどっていくうちに予想がついてきました。これは電線のルーツを表しているのだ。たぶん。この電柱の線は繁多川から始まって、首里の金城町まで伸びているのですよと。つまり「繁多川」から繋がっている線なのだ。ぼくはこれを「電柱地名」と名付けました。電柱地名には数字も一緒に書かれているので、ルーツをたどるためには「1」を探していけばいい。これがけっこう難しいのです。そしてどこに行くのかわからないから楽しい。

①
奄美
04
6
9A
15

②
2
1L
43
チ
86
浜松
1
13

③
42
テ
48
30
11A分1
E 15
寄宮南幹A
右1
11

④
2
1M
13
カ
11
10
千鳥11外4A
金城幹A
左2
右2
6

⑤
千鳥1

地名が実在している場合は簡単に予測が付く。「繁多川」とか「当ノ蔵」など、街が、住宅地が、どのように広がっていったか、その痕跡に触れていると電柱を見ながら想像していく。ちょっと楽しくなるはず。たぶん。

では「久美」はなんだろう。久茂地川沿いで見つけたのですが、このような地名・住所は那覇にはないですよね。でも電柱に寄り沿って歩いていると簡単に思いつく。久茂地と美栄橋を繋いだ電線、ということなのです。たぶん。「久美」、少しのスナックのママ感とミステリアスな響きがいいですよね。

「壺松」を見つけたのは与儀でした。これは最初ピンとこなかったのだけど、電柱の流れを想像して、ひらめいた。壺川と松川の間を繋いでいる電線なのだ。たぶん。

では壺屋で見つけた「浜松」は、どこからやってきたのか？　と「電柱地名」の謎はつきない。無論、沖縄電力に問い合わせてみるという野暮なことはしません。あくまでも、妄想・想像して楽しむのです。自分で考えようとせず、いきなり教科書の問題の答え合わせをしていては、学力があがらないのと一緒である。たぶん。

まったく謎の電柱地名もあります。これはぼくのまち歩きの師匠HYRさんから教えてもらった那覇の某所にある「千鳥」（写真④）。電柱地名「千鳥」を追って、首里の某所を上《のぼ》ったり下《くだ》ったり「千鳥　1」にたどり着いたのですが（写真⑤）、そこに千鳥足の痕跡はありませんでした。謎である。解明したくないほどに。

さらに電柱地名の楽しみに、痕跡を探すというものがあります。そこにかつていち時代を築いて、今はなくなってしまった建物の痕跡がくっきりと刻まれていたりします。

「ダイエー」（写真⑥）はみなさんご存じのことと思いますが、復帰後に沖縄へ初めて日本本土から進出してきた大型スーパーです。沖縄では「ダイナハ」という名前で親しまれていましたよね。いまはもうなくなって、ビルはジュンク堂書店などになっています。でも電柱には残っているのです。

「大洋」（写真⑦）は、戦後いちはやく復興していった那覇の最初の繁華街・神里原にあった映画館「大洋琉映館」のことか。「若松国映」（写真⑧）は、ぼくが大学のころまであった映画館。「若松」は、若狭・松山の略かしら。このネーミング自体が電柱地名に通じるというのも面白いですね。「綾門《あやじょう》」（写真⑨）はというと、もっとぐっと遡って、琉球王朝時代、かつて首里城へ続く坂道にあった「中山門」の別名です。かつてこの通りは綾門通りと呼ばれていたそう。

このように時は過ぎ去り、人々の記憶から忘れ去られようとしても、何も言わずに電柱はその痕跡を残していたのです……。

ふと気づくと、とっくにトークの予定時間をオーバーしていた。寄り道にもほどがあるくらいの時間が経っているではないか。電柱の話でこんなに興奮するなんて、我ながら情けない。

実は「浦添から牧港編」の写真も準備していたのだが、それは次回ということにしよう。

人前で話すのは意外と楽しい。

⑥
ダイエー1
分右 1/2
S 69

⑦
大洋
5

⑧
若松

⑨
綾
門
支

これがウェルカムんちゅだ！

雨が降らない梅雨が明けると、スコールまじりの夏がやってきた。

不思議なもので空梅雨でも、夏至南風《カーチーベー》が吹いて夏本番となると、とたんに雲の形もかわり、日差しも強くなった（ような気がする）。

二〇一八年の初夏、カーチーベーが吹きあれた。弁が岳の木々も風に吹かれて揺れていた。アカショウビンの特徴的なリルルルルーという鳴き声はいまも聞こえている
その弁が岳にある御嶽がさきごろ国指定の文化財となった。その名も「弁之御嶽《ビンヌウタキ》」いままではだいたい「弁《べん》が嶽《だけ》」と言っていたのだけど、これからは「ビンヌウタキ」と呼ばないといけないのかしら。位の高い聖域であることはもちろん承知していたが、プライベートでもなにかあると拝みにいっていた場所なので（もちろんビンシーを持っていくような本格的なものでなくて、もっとカジュアルな感じ）、ちょっと妙な気分ではある。その弁が岳の向こうから夏の雲が顔を出していた。

数日後、東京からやってきた編集者氏と漫画家さんを那覇まち歩きに誘った。ジュンク堂

書店那覇店で待ち合わせて、すぐそばにある琉球王国時代からの古道・長虹堤《ちょうこうてい》跡のお話をするために、那覇市が美栄橋駅前広場に設置している歴史案内板を見ながら喋っていたら、通りすがりの年配の女性がぼくに向かって何か話しかけてきた。それは「てぃーち?」と聞こえた。ひとつ? なにが? と思って聞き返したら、「あら日本の方?」うちなーんちゅですけど。「外国人の方かと思って、教えてあげようかと思ったのよ」

「てぃーち」とは、teach つまり「教えましょうか」ということだったのだ。

わたしはね、最近那覇市とかも外国人観光客にやさしくしてとかいっているから、英語習って教えてあげようとしているのよ。八十あまるけど。

なんて親切なんだろうと感動した。いや、少しとまどった。

そのあと久茂地の川沿い、若狭の防波堤沿いを歩いて、歴史案内板を見つつ、辻にたどり着いた。辻の御嶽は、この歓楽街のほぼ真ん中の小高い場所にあって、その前の道路では旧暦の一月になると二十日正月《ハツカショーグヮチ》の伝統行事であるジュリ馬《ンマ》行列が行われる。そこにも立派な歴史案内板が設置されていた。どれどれと読もうとしたら、そばにいたおじさんがやってきて話しかけようとして、「あ、日本人ね」と言った。

なんとここでもまた外国人観光客に間違われたのである。そのおじさんも外国人にやさしく那覇の歴史を教えてあげようとしていたのだ。

なるほど、これが噂の「*ウェルカムんちゅ」か。カーチーベーが吹くとウェルカムんちゅが増えるのかしら。

*日本国内はもちろん海外から来られる観光客を「うとぅいむち（おもてなし）」の心で温かく迎え入れる沖縄県民のことです。（一般財団法人 沖縄観光コンベンションビューロー（OCVB）のサイトより）

ジャングルカーに乗って

あの車を初めて見かけたのはいつのことだっただろう。

首里の街角か、真和志の三叉路か。車の上に植物が生えている、あの「ジャングルカー」のことである。当時はそういう名がつけられていたとは知るよしもない。たしか最初は暑さ対策のために芝生を車の屋根に工夫して貼り付けていたのが、いつのまにかガジマルなど自然に植物が定着し成長してきたということの車の話は、たまたま知り合いになったオーナーのCさんからいろいろ教えてもらった。ジャングルカーを車検に通すときの苦労話、日本縦断の旅での出来事、いろんな人との出会い……。それはちょっとしたファンタジーの世界だった。そもそもCさんもなかなかファンタジーな人なのである。こんなファニーな車が走っていたら、それは話題になるよなー。この話はネットで検索するといろいろ出てきます。

長年貴重な生態系をはぐくんできたジャングルカーが、いよいよ車検切れを機に引退するという話をCさんから聞いて、ぼくは「じゃあ最後に一度運転したいなー」とお願いしたら、ジャングルカーのラストランということで、希望者を募るプチイベントを開催してくれた。

家が近所ということもあって、何度か助手席に乗せてもらったことはあったのだけど、ジャングルカーを実際自分で運転しながらみられる光景とはどんなもんだろうかと、かねがね興味があったのだ。

七月の、台風がさった日曜日の午前中、ジャングルカーのラストラン、運転しました。

首里から一日橋へとぐっと下り、国場川沿いに進んでとよみ大橋から漫湖を見下ろし那覇港を通りすぎ、西町、若狭と旧那覇の路面電車の道をおいつつ、一部国際通りを横切り、大道《だいどう》から首里城への坂道を駆け上る……というコース。

いつも通りなれている道路なのに、なぜかわくわくしてしまった。頭の上、車上のガジマルたちを見て見て！　とついアピールしたくなったのだ。当初はのんびりと走らせるつもりが、ついつい歩行者やドライバーの反応を期待してしまう。

びっくりするおばちゃんや指さして喜ぶ子ども、観光客はもちろんいるのだけど、意外と気がつかない人も多い。知っている人もいるだろうけど、那覇の日常として特に気にすることもないと思っている人もいるのだろう。その反応の度合いは、それぞれの心のゆとり具合をあらわしているのかもしれない、なんて思ったりしつつ、ドライブは予定時間を少々オーバーして終了した。次に待っている方に遅いと怒られてしまった。すいません。

オーナーのCさんはシャイな方なので、見られるのはちょっと恥ずかしい、なんていっていたけど、ジャングルカー、なかなか快感でした。この車を見かけると恋愛運があがるらしいと手を合わせる女子高生がいるとか、いつもなぜかコインを車の上におかれる（賽銭?）など、新しい都市民俗を発生させてきたその存在は、きわめて平和的な風景でもあった。ジャングルカーが那覇の街を疾走していたその姿、しばらく忘れずにいたい。

ラストランではしゃいでいたぼくの姿をSNSに載っけたら、「買ったの?」「新しい持ち主?」「なにこれ!」と、大反響だった。まだまだインパクトあるのだ。後日、新しい持ち主として勘違いされ、新聞取材の問い合わせもきました。

なお引退後のジャングルカーはそのまま北部古宇利島のあのハートロック近くの駐車場に置かれるそうです。うーん、まだまだファンタジーは終わらないのだ。

まだまだ知らない遠い遠い親戚のはなし

今回はシンプルに今年一番びっくりした話です。

先日のこと。お盆の中日、いつものように親戚まわりのドライブを楽しんでいました。ぼくの父親は亡くなっていますが、戦後、慶留間《げるま》島というところから那覇に出てきて、親戚関係の多くも沖縄島にいるので、お盆の親戚まわりは、那覇、糸満よりの豊見城あたりをまわっています。

ここ最近はひとりでまわることが多い。車の中ではなぜかジョニ・ミッチェルを聴くようにしています。「ドン・ファンのじゃじゃ馬娘」とか。お盆との関連はまったくないのですが、一度お盆で聴き始めて以来、くせになってしまい、そうすることで「お盆ドライブ」な気持ちになるのです。

毎年この時にしか会わない親戚のおばちゃん、おじさんたちの話を聞くのが楽しみです。うちは親戚もコンパクトな感じで、お盆で親戚がたくさん集まって賑やかな光景という家はあまりありません。ひとりトートーメーを前にしているおばちゃんとだけお話しする、静かな時間がお盆の風景です。

ぼくが親戚まわりをするようになってからの付き合い、というところもあります。なぜか。そこの家のおじさんが亡くなってトートーメーが発生したからです。発生はまずいか。とにかくトートーメーがあるところに手を合わせに行くのがお盆の基本ですよね。

それでもう十数年、毎年一回はお会いしてトートーメーに手を合わせて、近況をお聞きしたり、「最近新聞に書かれてませんね」なんて言われたりしているわけです。ひととおりいろんな昔話を聞いたつもりになっていました。

さて今年も、ひとり暮らしのおばちゃんのお家に行ったときのこと。

こんにちはー、と声を掛けて、勝手知ったるという感じでお邪魔。いつものようにおばちゃんがひとりで座ってました。最近は腰が悪くなっているので、お手を取らせるのもなんだからと、トートーメーに手を合わせて、少しだけお話しして、長居することなく戻ろうとしました。

そこでふとベットのうえに（腰が悪いので居間のそばにベットがあったのだ）、一冊の本が置かれているのが目に入りました。上原正三著『キジムナーＫｉｄｓ』（現代書館）。「あっ、この本読んでいるんですかー」とちょっと嬉しくなって声を掛けました。

あの円谷プロでウルトラマンの脚本を、かの金城哲夫さんらとともに書いていた、伝説の脚本家の上原正三さん。一昨年ある文学賞の審査員として参加したときにご一緒させていただいて、ウルトラマン世代のぼくとしては大感激したことがありました。沖縄出身の大先輩としても尊敬するのだけど、実にいい人でした。この『キジムナーＫｉｄｓ』は、上原さん初めての小説でしかも書き下ろし。わざわざ上原さんはぼくにも献本してくださった。終戦直後の沖縄で暮らしていた少年、少女たちの物語で、たぶん自伝的な内容。

するとそのおばちゃんは、ふふっとはにかんで、

「弟なの」というではありませんか。

えー、上原正三が弟！　思わず呼び捨て。

ということは、おばさんはお姉さん！　思わず当たり前のこと。

えー！　と声を出してしまいました。早く言ってよー。

旧姓が上原なのよ、小説の中にも私の小さいときのことがそのまま出てくるの、とのこと。

ウルトラマン世代にとっては、スペシウム光線なみの衝撃でした。

いやー、こんなに毎年一度はお会いしているのに、ほんと驚愕しました。まだまだ知らないことだらけ。これだからお盆ドライブは止められない……。

これからは、「ぼくはウルトラマンと遠い遠い遠い遠い親戚なのだ」という風に心の中で叫びたいと思います。シュワッチ！

壺川ビー・バップ！

いろいろあった九月。このコラムが読まれるころにはいくつかのことが決まっていることでしょう、と思いつつ。［二〇一八年九月三十日、翁長雄志沖縄県知事の急逝による県知事選挙が行われた］

さてそんなばたばたしているなか、小学六年生のころの友達の集まりに呼ばれた。小学校卒業以来初めてクラス会が開かれたのが去年のこと。その同級生のひとりが居酒屋を始めて、それ以来、その居酒屋の飲み会があるとちょくちょくお誘いがあるのだ。小学校を卒業後、まったく会っていない同級生ばかりなので、興味津々であった。

ぼくは物静かな小学生だったので、特にクラスで目立つということもなく、世界征服を企む組織とどのようにして対峙していけばいいかと悩むくらいの児童だった（本の話です）。そのころ、他の子たちはなにを思っていたのだろう。そしてその後、どんな人生を歩んできたのだろう……。まだ二、三度しか会っていないのだが、彼らのライフヒストリーはなかなか面白いのである。

なんとなくお役所関係の人、市場に通う人、コンビニ店長、孫がいる彼女、３・11で津波に飲み込まれそうになったあいつ……、ひとり二時間ずつインタビューしたくなる。

そんな話のなかでぼくにとっての再発見は、壺川《つぼがわ》という地域である。ぼくの通った小学校は那覇市の楚辺というところにあり、学校区には壺川も含まれていた。壺川地区は国場川に面して、町工場があったりして、下町的なワイルドな雰囲気であったという。ぼくは樋川という開南バス停近く、平和通りなど商店街でぶらぶらしていた街の子である。同じ教室にいたころは、特に何も気にしていなかったけれど、遊びの仕方も行動範囲もまったく違っていたのだ。国場川にハマり、どろんこになって遊んでいたとはしらなかった。

壺川から奥武山《おうのやま》のプールに行くために、明治橋ではなく、当時設置されていたパイプラインの上を橋代わりにして歩いて通っていたらしいのだが、その橋？　のたもとに、ちょっと怖いにーにーたちがいると、「通行料」を取られたという。関所か！　こんな話がわんさか出てきて、ああこれこそ、公式に記録されることのない那覇の記憶なんだなぁと、ひとり静かに感じいった。あのころ、那覇の小中学校は、ほとんど「ビー・バップ・ハイスクール」状態だったのだ。ぼくは本屋の片隅で人類滅亡の危機をどう乗り切るのかを考える程度の、目立たない地味な子どもだったから、そういう世界とは、ほぼ無縁だったのだ。

そんな話の中で「壺川は、〈みなとむら〉だから」と、壺川育ちの友達がさらりと言った。確かに琉球王国時代、壺川は国場川河口で漁業をしていた村だったらしいので、港もあったとは思うけれど、ちょっと気になったので詳しく聞くと、それは沖縄戦後の一時期、米軍統治下のもと設置された「みなと村」を指していたのだ。このみなと村の歴史は、沖縄、那覇の戦後史の中では大変重要であるが、まだまだいろんな謎を秘めている特殊な行政区である。でもそれはぼくら世代の前の話で、いまはそんな気配はまったくない。と、かってに思っていたのだが、いやいやここで生まれ育った彼らには、壺川のワイルドな気配というのは、戦後、沖縄の各地から集まってきた港湾労働者たちが暮らしていた〈みなと村〉の気配、親たち世代の記憶を受け継いでいるという認識だったのだ。

確かにぼくの通っていた小学校の学区は考えてみると、ほぼ〈みなと村〉の範囲だった。戦後史って、こんな風に自分たちのすぐ傍にあるものなんだな。次回のクラス会が楽しみなのである。

与那原駅舎ブックカフェで「一日だけの本屋さん」

以前この連載でも書いたのだけど、「一日だけの本屋さん」というコンセプトで「浮島書店」というイベントを企画している。これまで、那覇、コザの商店街の空いている店舗などに、仲間うちで本を持ち寄り、期間限定で本屋さんごっこを行ってきた。すると噂を聞きつけた与那原町にある「与那原駅舎」さんから、うちでもやりませんかと声を掛けてもらった。戦前、与那原にあった軽便鉄道の駅舎を再現した場所です。正式には「与那原町立与那原駅舎展示資料館」鉄道マニアにはたまらないところなのだ。

そりゃやりますよ。駅舎で本屋ごっこが出来るなんて、楽しそうじゃないですか。

というわけで、十月の終わりの日曜日、「一日だけの本屋さん　浮島書店」イン与那原駅舎、やってきました。

与那原の小さな町並みが好きで、たまにこっそりまち歩きもしている。かつて大勢の人で賑わった商店街を思い出しつつ、新しい住宅地として発展している東浜《あがりはま》の埋立地区を眺めたりして。いったいどんなお客さんが「浮島書店」に来るのだろうかと、興味津々。

「ごっこ」といえども、ちゃんと本を売ることにはかわりなくて、売上げも肝心なのだけど、なにより本を通して人が集まる、という風景を見るのが快感なのである。

町によって集まる人々のタイプが違う、というのは、なんとなくわかってきた。与那原駅舎では様々なイベントがこれまで行われていて、いろいろ事前に打ち合わせをしたのだ。

今回は絵本を多めに用意した。大学生による読み聞かせのイベントがあるし、東浜に住んでいる若い家族、小さいお子さん連れのお客さんが来るのではないかという予測である。

当日、朝から本の搬入、飾り付けを行い、気がつくとお昼前に「一日だけの本屋さん」が出現した。いい感じに仕上がったのは、浮島書店員たちもだいぶ慣れてきたからかしらん。その場にあるものを何でも使うのが、浮島書店流儀である。

イベント全体の名前は「与那原駅舎ブックカフェ　本とパンとコーヒー」そのまんまである。はたしてお客さんは……ぼくたちの予想以上にやってきた。気がつけば書店スペースに人が溢れているではないか。

これにはびっくりした。近辺に古書店や絵本屋さんがないということもあるけれど、他にもいろんな本を手に取り吟味して買われるお客さんが、次から次へとやってきた。与那原近辺の方々のようで、お互いに挨拶している。子どもたちはどんどん絵本を選び始める。ぼくの隣で、小さな男の子が、くすくす笑いながら声に出して絵本を読みはじめて、思わず一緒に絵本をのぞき込んでしまった。歳取ってくると、こういうのに弱い。

会場の外では与那原の美味しいパンや名物お菓子、コーヒーが準備され、そこも盛況。読み聞かせ、ライブもまったり楽しめる。印刷屋さんによる「活版印刷」体験もできるようになっていて、いずれも本屋ととっても相性がいいものばかりである。これまでの歴史のある町とできたての新しい町が、本屋という場で重なり合って、新しい与那原の町の風景になったかも。

そして肝心の売上げといえば、思わず「軽便鉄道節」の一節のように「アヒー、アヒー」と声をあげたいくらい、過去さいこー！　なのでありました。

水上店舗ミステリ・ツアー

年の初めにどんな本を読むのか。それによってその年の運命が定まる、というのが「初読占い」である。小説なのか、ダイエット本なのか、哲学書なのか、サブカル・エッセイなのか。無意識に手に取った本の、なにげに開いた頁の一文を心にとどめておいてください。そこに今年の貴方の生きる道があるはず……。

とまぁ、年末にかってに思いついた「初読占い」ですが、意外と当たったりして。信じるも、信じないも、頁をめくるも、めくらないも、貴方次第です。

昨年は沖縄を舞台にした小説をいくつか読んだ。その中で特にはまったのが『入れ子の水は月に轢かれ』。ミステリの新人賞であるアガサ・クリスティ賞（早川書房主催）の昨年度の受賞作で、作者オーガニックゆうきさんは、沖縄出身の女性である。まだ大学生なのだ。そして作品の舞台が、あの「水上店舗」かいわいなのである。

那覇の平和通りと第一牧志公設市場にはさまれて、与儀の農連市場（現・のうれんプラザ）そばから国際通りまで続く、妙に細長い建物、それが水上店舗である。あのあたりを知っている人なら、なんとなく思い浮かぶだろう。

那覇の戦後復興の象徴ともいえる平和通り、牧志公設市場にはさまれて、米国民政府施政権下の一九六四年に出来たこの建物、最大の特徴は、ガーブ川の上に建てられていることである。建物の下は今も川が流れる、いわゆる暗渠なのだ。でも普段はそんなこと地元も観光客も気がつかない、気にしない。戦後ガーブ川沿いには簡素な作りの小さな店舗が軒を連ねていたが、大雨が降ると川の水が溢れ、一帯が浸水するような状態だった。その治水と環境整備を兼ねて出来たのが水上店舗という摩訶不思議な建物なのである。

アメリカ世、復帰、昭和から平成へと時は流れて、通りを行く人たちや街角の風景が変わっていくなか、水上店舗はそのままの姿で、いや、かなりレトロ感を醸しつつ、現在もたくさんの店舗が入居して、静かにマチグヮーを貫いている。

ぼくは水上店舗とほぼ同年代なので、その姿を見るとしみじみしてしまう。実家が樋川、つまり開南近くだったので、水上店舗も小さいころからのテリトリー、遊び場であり、買い物するところであり、ぶらぶらするところであった。中学校のころには二階のビリヤード場で遊んだり、大学生になると、開南からサンライズなは商店街を下り、水上店舗の横のむつみ橋通りを通り抜けて、国際通りの小劇場・沖縄ジァンジァンへ通った。最近は知り合いが水上店舗に店を出したりして、立ち寄る場所も少し増えて、今もぼくの行動範囲はあまり変わらない。

その水上店舗がミステリの舞台になるなんて。いやはや盲点でした。アガサ・クリスティ賞を受賞したというニュースでざわつき、あらすじを聞いて興奮した。

読む前からあれこれ想像たくましくしていたので、年末に単行本が刊行されると、すかさず読みきって、その翌日には、事件現場に向かった。そう、ミステリ作品だから、殺人事件が起こるのである。小説の中では実在の場所がリアルにどんどん出てくる。土地勘があればあるほど、あああそこか、いやここかと、主人公たちと一緒になって行動できるのである。フィクションと現実の風景が混ざり合い、いつも見慣れていたはずの水上店舗がまた違った風に見えてくるのだからおもしろい。

こうして水上店舗の暗渠から始まる事件の謎を追って、ひとり水上店舗ミステリ・ツアーを楽しんだのでした。

シルバー『宝島』世代へむけて

いつものように五歳児に叱られるテレビ番組を見ていた。そのなかで「シルバー」がなぜ高齢者をさすようになったのか、という質問があった。なんでも国鉄（現ＪＲ）が高齢者優先のシートを作ったときのシートの色がたまたまシルバーだったから、ということだった（一九七三年ごろ)。まぁなるほどね、と思ったのだけど、だいたい一九八〇年代には世間的に浸透してきたこのシルバー=高齢者というイメージ、当時の広辞苑にもいちはやく「シルバー」の意味に高齢者をさすという項目が掲載されていると紹介されていたのだが、その「高齢者」の説明が[定年後 五十五歳以上]と書かれていた画面を、ぼくは見逃さなかった。

昭和の世なら、ぼくはもう「高齢者」なのである。二月生まれだから、今月で定年退職、あこがれの円満退社な世代だったのだ。チコちゃんに叱られるよりショックだった。昭和は遠くになりにけり……。平成も、一足先にさよなら、と言っておこう。

そんな年明け、長年勤めている出版社・ボーダーインクが、出版梓会という全国規模の出版会から賞をいただき、その授賞式のため、インフルエンザが猛威を振るっていた東京に出かけた。上京した三人中、ひとりだけインフルエンザになったが、なんとか授賞式、パーティをこなした。

その会場に、審査員のひとりである文芸評論家の斎藤美奈子さんがいらした。ぼくはつい先日新刊の『日本の同時代小説』(岩波新書)を読んだばかりだったので、なんとか声をかけてお話しをさせてもらった。一九六〇年代から現代までの日本の文学史をたいへんわかりやすくまとめた本で、ぼくはいたく感動していたのだ。少年期、青年期、バブル期、中年期をへて、世が世なら定年退職となるシルバー期にいたる今日まで、ぼくが読んでいた(読んでなかったけど)日本文学の背景、傾向がみごとにばっさりと、気持ちいいくらいわかりやすく解説されていた。

　その本の中で、少し余談めいた感じで、沖縄を舞台にしたエンターテインメント小説が勢いがある、面白いという話を展開していた。その注目される作品の中のひとつに挙げていたのが真藤順丈『宝島』（講談社）である。ほかには上原正三『キジムナーＫｉｄｓ』と池上永一『ヒストリア』（KADOKAWA）が挙げられていた。

　その授賞式当日は直木賞発表の日でもあった。昼間は沖縄の新聞社からスマホに電話がかかってきて、「『宝島』は直木賞とれますかね」と聞かれたりして、少し期待していたのだ。そしてその会場で斎藤さんから直々に「『宝島』、直木賞とったわよ」と最新ニュースを聞かされたのである。他人事ながら興奮した。

　じつは去年、『宝島』が刊行される前に、ニュース通信社から見本が送られてきて、ぼくはいちはやく書評を書いていたのだ。興奮して書いた。

〈日本の作家が、沖縄という小説の器を選ぶ。そこに確固たる意志があるかどうか。ここ数年、長大な物語の舞台として沖縄が登場するようになった。しかし沖縄はただの背景ではない。怒濤の物語そのものである。作者自身が沖縄という怒濤にダイブして、その現実に飲み込まれながらも、新たなる物語の地平にたどり着けるかどうか。〉

　ひとりの作家が覚悟を決めて書き上げた渾身の一作、と思った。この見立ては間違っていなかった。しかし発売直後、中央の出版界で話題になっていたが、沖縄の書店と読者にはそれほど話題を呼ばなかった。沖縄を舞台にした小説は沖縄ではあまり売れない、というか、小説が沖縄では売れないといわれているのだ。

しかし今回は直木賞だ。少々事情が違う。沖縄に帰ったら本屋をのぞくのが楽しみだ、と思ったら、すでに沖縄の書店には読者が殺到して、あっというまに品切れになっていた。その後、なかなか店頭に並ばない状態が続いている。実にうらやましい話である。

年末のオーガニックゆうき『入れ子の水は月に轢かれ』といい、この『宝島』といい、戦後から復帰前にかけての沖縄にインスパイアされたエンターテインメント小説が今後も続くのではないだろうか、というのが、ぼくの沖縄同時代小説的な予測である。『宝島』の登場人物たちが現代でも活躍するとしたら、もちろんシルバー世代である。アメリカ世育ちの、同時代のシルバー世代が繰り広げるハードボイルド小説なんてのも読みたいものだ。

小川会の袋小路と台北の長屋

すべての路地はつながっているようだ。街をこえ、国をこえ、時間をこえて。

首里石嶺町の一角にある、小さな住宅地を初めて歩いた。石嶺町は首里地区のなかでも、浦添・西原に接している境界線というイメージがある。かつては西原間切だった。趣味のまち歩きでも、あまり意識したことがなかったのだけど、ふとしたことから気になり、ある日、とても小さな裏道を曲がってみたのだ。

石嶺入口と呼ばれるあたりのスーパーマーケットの裏、斜面と細くつづく用水路にまたがった少し古びた風情の住宅エリア。意外なことに（失礼）通り会があった。その名も「小川会」。用水路を囲んだ塀に掲げられていたのは「ここの道路は袋小路に付き車の通り抜けはできません」の注意書き。

袋小路という言葉にぐっとくる。じぶんのことを言われてどきっとした感じ。通り抜けはできないけど、行ってみたくなる。徒歩だから。

徒歩五分ほどで、確かに行き止まった。自宅がある人たち以外足を踏み入れないだろう。用水路沿いにどこか抜け出ることが出来るかもと思い、さらに足をのばしたが十二歩ほどであきらめる。完全に袋小路。なんかすてき。こんな昼間に袋小路だなんて、どこにもたどり着けないなんて。

この袋小路の住宅地を小川会と名付けたとき、ここの住民は何を思ったのだろう。

ぼくはつい用水路と書いてしまったが、小さな小川を挟んでぎゅぎゅっとつまった住宅地は、どこからも隔離されたかのような秘密の場所、隠れ里のような雰囲気があった。

というのもすぐに目についたコンクリート瓦家の、コンクリート塀に描かれていたのは北欧の風景。深い雪景色で、よくみたら小川に石橋が架かっている山間の風景なのだ。石嶺と北欧。メルヘンではないか。こんなところで世界はつながっているのだな。

二週間後、ぼくは台北の路地裏を散歩していた。那覇を百倍くらい大きくしたような街並み。初めて歩いてるくせに、きっとどこかにつながっている心づもりでてくてくと住宅地のなかを歩いていった。

土曜日なので、いつもはたくさんある朝のコーヒー屋さんもお休み。年季の入った団地をぬけ、古びた長屋が並んでいる路地を前にして、少し悩む。ここは袋小路か。

ふと小川会の北欧の景色を思い出す。この通りを抜けていくと石嶺の袋小路につながったりして。そんなことはないけれど、そうなってもいいんだよ、という気持ちで朝の台北の街をさらにすたすたと歩いた。

三年越しの映画

三月、四月はなにかしらココロざわつく。やふぁやふぁと吹くうりずんの風をうけて旅立つ若者たちの姿をあちこちでみかけては、わが身にのしかかる年月の重さによろけてみたりする。そういえば今年は年号もかわるというではないか。なんとなく浮足だっているのはそのせいか。あっ、いまこのコラムを書いているときに発表されました。すかさずネットで調べてみたら、新年号と同じ漢字の名前の人がいるではないか。どぅまんぎた・驚愕《きょうがく》しただろうなぁ。

さて三年前の今ごろもココロざわついていた。この連載において「うりずん雑感」というタイトルで、東京で大学生している娘が春休みを利用して、自主製作映画を撮影しているということを書いた。その手伝いでなにかと大変だったのだが、その映画がようやく完成したので、上映会をこの三月に那覇・久茂地のライブスペースで行うことができた。

沖縄戦における渡嘉敷島でのいわゆる「集団自決」の記憶を描いた作品なのだが、実際の集団自決（強制集団死）もこの時期に起こったことで、実はぼくの母親の体験がベースになっている。脚本・監督をした娘にとってはおばぁちゃんである。

出演者、スタッフなどの関係者に加えて、うちの親戚関係や友人らに声をかけて、たった一日だけど、三回にわたって上映した。新聞やネットでも呼びかけたので、一般のお客さんも訪ねてくれて、いずれも大盛況だった。タイトルは「おもいでから遠く離れて」（監督・脚本　西由良　宗利風也）。若い世代が沖縄戦の記憶を受け継ぎ描くということは、必然的にフィクションとなる。まさに〈おもいでから遠く離れ〉たところに私たちはいる。しかしその記憶をフィクションとして描くことで、時を重ねていくことはできる。

上映会には、もちろんおばぁちゃんも来ていた。スクリーンには、小さいときから聞かされていた集団自決の光景が映し出されていた。母はなんともいえない不思議な表情でスクリーンを眺めていた。ぼくもまた画面を見ながら、とても不思議な気分になった。小さいころから母から聞いていた話、個人的な家族の物語が映像化されることによって、この場にいる人たちの共通の記憶、「おもいで」になるということ。それは忘れてはいけないことなのだろうと、じんわり考えていた。

最終上映のあとに、ぼくと監督である娘とふたりで初めて舞台でトークをした。なかなかできない経験だ。これもまた家族の記憶、「おもいで」のひとつとなって、沖縄戦の記憶ととけあっていくのだろう。記憶はただ風化するのでなく、語り合う、描きつづけることで、熟成されて、物語として続いていくはずだ。来年の今ごろ、うりずんの風に吹かれると、なんとなくこの映画のことを思い出すことだろう。年月の重みもときにはここちよいこともある。

アカバタキーはリバービュー

ときおり知らない街を歩きたくなる。
と書くと、なんだか古い歌謡曲の一節のようだが、わざわざ出かけるという心持ちをもたなくても、たとえば誘われて行く初めてのレストランへ向かう道すがらでも、〈いつもなら絶対通らない道をわざと選んで歩いていけば、それはもう知らない街へ旅するようなものなのです〉（『ぼくの〈那覇まち〉放浪記』作者の言葉より）

直接の知り合いではない方々との飲み会の場所が小禄のレストランだった。首里から小禄というと同じ那覇市ではあるが、実は意外に遠い。ぼくんちは首里のはずれ……南風原との境界付近なので、タクシーで行くと東海岸側の与那原の方が料金は安かったりする。

しかし、那覇市にはゆいレールがある。首里から小禄に行こうと思えば、たった十二駅（奥武山駅）だ。そこであえて二駅手前の旭橋駅で降りて、壺川の住宅地をぬけて、橋をわたり漫湖をこえて小禄の古道を寄り道していけば、一時間弱の道ゆらりとなる。

壺川は意外と広い範囲の住宅地なのだが、戦前・戦後、漫湖というか国場川の河口というか、そのあたりの川辺の結構なエリアを埋め立てている。明治時代の地図と今を比べてみるとびっくりするくらい。かつて真和志間切のころには、アカバタキーとよばれた、赤松が映える小さな丘が、漫湖に突き出ていたという。

むかし奥武山が離れ小島だったころ、漫湖は小さな島や岩山が転々とする、風光明媚な景勝地だった。奥武山の対岸の壺川も半農半漁の寒村ながら、そうした風情を醸し出していたにちがいない……などと、妄想しつつ、埋め立てできちんと整理された住宅地をうろうろしていたら、あるマンションの名前が目についた。

その名も「リバービュー赤畑」

こっ、これは！

この「赤畑」というのは、もしかしてその「アカバタキー」のことではないだろうか。東恩納寛惇著『南島風土記』では、「赤畠」と記されている。「アカバタキー」は漢字をあてると「赤畠・赤畑」となるのだ。失われた地形の失われた地名がこんな形で残っていることに、じんわりと感動してしまった。

そういえばこのあたりに拝所があったような……と、数年前よく那覇ポタリング（自転車散歩）していたころの記憶をたどると、リバービュー赤畑の向かいの駐車場の一角にあった。集落の土地形態が激変したところでよく見かける、いくつかの御願所を集めてというスタイルだ。小さな祠《ほこら》には「寺」とか「宮」とか記されている。なにかしら寺社もあったのかしらん。

フェンス越しに手をあわせて、かつてのアカバタキーの名残を懐かしんでみた。

このあと漫湖をこえて夕暮れ迫る小禄へむかった。ここの古道がまた発見の連続なのであったが、それはまた別の知らない街の話となる。

スケッチ・第一牧志公設市場の記憶について

那覇の第一牧志公設市場が二〇一九年六月十六日をもって現在の建物が閉鎖されて移転する。三年後同じ場所で再建されて戻ってくる。以下、三年後の記憶のためのスケッチ。登場する「男」はぼくかもしれないし、市場ですれ違うだれかかもしれない。


エスカレーターが市場の二階へと彼女を運んでいった。

男は手にしていたコラムマガジンをもちあげ、合図を送った。

カメラを構えていた彼女は、遠ざかる男の姿を、市場の一階の背景とともに、少しひいたアングルでとらえた。すばやく何枚かシャッターを切る。

男は周囲を肉屋に囲まれた一角で、彼女がエスカレーターで昇りきる姿を確認した。

しばらくして南側の階段から下りてきた彼女は、いい感じで撮れてますよと、デジタルカメラのファインダーを男に見せた。彼女の職業は新聞記者である。取り壊される公設市場の思い出を取材している。原稿の締め切りは少し先である。市場が閉鎖される前にその記事は掲載される予定だ。

吹き抜け構造の公設市場のエスカレーターは、建物の築年数相応の少し古びた姿をしているが、なんの支障もなく稼働していた。

どうして下りのエスカレーターはないんでしょうね。彼女の疑問に、男は笑った。建物の北側にはエレベーターもあるのだが、とても小さく目立たない場所にある。したがってほとんどの客は、エスカレーターで上がって階段で下りてくる。

男は四十七年前、建物が新築されたときのことも覚えている。小学生だった彼は、母親に連れられて市場の買い物に行くことは日々の暮らしのなかにあった。

それまでの市場は、古い木造のうす暗いイメージで、あとで知ったことだが、廃材を使って建てられた、戦後の混乱とバイタリティーをまとった建物であった。そのうす暗さのなかに並べられていたたくさんの豚肉が、ときおり男の記憶によみがえる。それはもしかして夢のなかの光景ではなかったのか、と男はじぶんの記憶に疑問を持っていた。

しかし生まれ育った街のたたずまいに関心を持つような歳になり、ふと手にした米国民政府施政権下の風景をまとめた写真集の中からかつての市場の写真をみつけ、現実の風景であることを確認した。あのうす暗さは確かに市場だった。

夢でなかったよ、と男は彼女の質問に答えた。

出来た当時の公設市場の印象はどうでしたか、と彼女は取材ノートを開く。

新しく出来た公設市場のなかはぴかぴかとしていた。小さくコマ割りされた店舗の前に冷蔵展示された肉や魚、明るい照明、中央が吹き抜けとなった開放的な構造とエスカレーター。小学生のころから、市場の活気のあるざわめきの心地よさを求めて、市場内を歩いていた。それは高校、大学、そして仕事を始めて今に至るまで同じであることに、男は気づいている。

そういえば中学生のころ、愛用のラジカセをもって市場の音を録音したことがあった。街のざわめきを録りたかったのだろう。いまそのカセットテープがあればよかったな。

そのような話をとりとめもなくしながら、取材は続いた。二階の食堂で食事しながらもう少し話をしようということになり、あらためて二人はエスカレーターに乗り二階へと上っていく。階段を上りきった正面にある食堂エリアは、呼び込みの声と観光客の華やいだ声が響いている。いつも通りだが、その光景は市場にとってはわりと新しい姿でもあることを、男はある種の感慨をもって眺めた。もうすぐこの光景は姿を消すのだから。

長くこの街にいる男は、歩きながら見える街角の風景を、何層にもわたる記憶の重なりとして認識している。いま目にする風景は実は薄皮のようなもので、少しふれれば新しい皮がめくれ、古い記憶が現れる。街の風景が更新されるたびに、古い記憶は消えていくように思われたが、そうではなかった。同じ場所に静かに沈殿しているのだ。この街にいる限り、どんな橋を渡ろうとも、いとも簡単に、あの薄暗い建物のなかで豚肉が並んでいる場所にたどり着くことができるのだ。一か月後、この建物に男は入ることができなくなる。

四十四年目の同窓会

ぼくが小学校を卒業したのは、一九七五年三月。それから四十四年たって、小学校の同窓会が初めて開かれた。厳密にいうと同期会か。全クラスが集まったのだ。八クラスというと今では大きいほうだろうが、当時も「マンモス校」のひとつとして数えられていた。小学校入学のとき、沖縄はまだ復帰前だった。小学四年のときに復帰を迎えて、卒業する年には海洋博が開かれた。小学校の近くには、刑務所がまだあった。

沖縄には「同窓会文化」と名付けたいほど、日頃から街角のあちこちの横断幕で、その開催が告知されている。高校や中学の同窓会というのはよくあるけれど、小学校というのは珍しいかもしれない。

ぼくは、よほどつらいことがあったのか、それとも過去をふり返らないタイプなのか、小学校の記憶がない。特に友だちの名前が出ないのだ。好きだった女の子の名前しか覚えていない。だから、同窓会開催の話し合いがあるということで、たまたま呼ばれていったら、集まった面々が誰なのか、わからなかった。他のメンバーは、同じ中学に行って、その後も模合とかしてるらしく、まさに幼なじみ的雰囲気を醸し出している。そのなかで話を合わせようとしたが、そもそも何組の誰々と紹介されても、よみがえるものがないのである。

もしかして、ぼくは、みんなとは違う街に暮らしていたのではないか。もしくはパラレルワールド的に、違う次元の小学校に通っていたとか。そんな不安さえ浮かんだ。

しかし集合写真を見たり、近況を聞いているうちに、少しずつ記憶のしずくがたまりはじめて、彼ら、彼女たちの表情のなかに、小学校時代の面影が揺らめきつつ浮かんできた。おそるおそる、あだ名で、または名前を呼び捨てにしたりして。

同窓会言い出しっぺの彼らの献身的な準備のかいあって、城岳小学校二十六期生同窓会は八十人ほど集まって盛況となった。ぼくは、ほとんど四十四年ぶりに会う友だちばかりだ。

クラスごとのテーブルを眺めて記憶がよみがえるのを待つ。そのうちになぜか乾杯のあいさつなんかさせられたりした。

時間がたつにつれ、細かい話はさておき「友だちだったはずだ」というメンツを探し出し語り出す。昔話というより、お互いの近況について話していく。みんなも小学校の記憶は、ぼくほどではないが、うっすらなのかもしれない。あのころは……と懐かしむ以上に、いろんな人生を歩んできたぼくたちが再会できたという、ちょっとした奇跡を祝ったほうがいいのだろう。気がつけば立食パーティーだったはずの会場は、クラスごとのテーブルに椅子を引き寄せて、まるで結婚式のような雰囲気になっている。寄る年波とはこのことか。

参加者全員がひとことふたこと、舞台に上がってあいさつをした。孫が八人いる、という話にもびっくりしたが、「今、娘は二歳です」というのには感動した。

どうしてこうも同窓会が多いのだろうか、と不思議に思うのだが、この年になると昔をふり返るということよりも、これからどこまで歩いていけるのかという、それぞれの未来を見つめるためのものかもしれない。この街で暮らしていくかぎり、また出会える未来はあるのだ。

同窓会の翌日、母校の小学校は創立七十年を迎えた。～さかえいくなはのみなとのあさぼらけ～

宜野座の渚でその他いろいろ

ここ数年、海水浴をした記憶がない。そういう沖縄県民は意外に少なくないはずだ。ビーチパーティー、今年もまた予定がないというかたも多いでしょう。友達の少ないぼくだけではないはずだ……。

それでも海を眺めるのは好きだ。浜辺を歩くのも嫌いじゃない。ただその時間をとれるかどうか。日々の暮らしに追われてしまい、気がつくと、海は遠く、モノレールから眺めるくらいになってしまっていた。小さな島の都会生活者の憂鬱である。

もう知らない誰かのビーチパーティーに誘われなくてもいい。そんな妄想より、とりあえず渚を歩きたい、海を眺めたい、できたら誰もいない海で……。と、切羽詰まった気持ちでとりあえず出かけたのが、宜野座だった。

なぜ宜野座なのか。それはぼくにもわからないが、もしかしてひとけがない浜がありそう――という思いこみだけで、首里から高速道路にのって北上したら、あっという間に宜野座だった。山原の入口というか、山のみどりは深く、途中ちらりとみたダムだけでも、とりあえず街を離れてきた、という気持ちになる。

なんの下調べもしていないので、適当に東側の海岸沿いに車を走らせる。すぐに住宅はまばらになり、畑の中の道路をすすむ。海沿いだけど、西海岸のように大きなホテルはなくて、穴場的なペンションの看板があちらこちらにある。そうしたおしゃれっぽい場所をさけて、単なる漁港、船着き場っぽいところを探していたら、ありました。

地元の漁師さんたちの小さな漁船が係留している船溜《ふなだま》りと、その横に広がる何もない浜。だれもいない渚である。作業中の漁師さんたちはとりあえず視界から外しておこう。

青い空と青い海と足跡のない浜。ばっちりである。しかし見たいのは、渚の足元に漂う「かいそう」である。

じつはここ数年、仕事で沖縄の海藻・海草（紛らわしいが両方とも「かいそう」と読むのだ）に関する原稿を整理し続けていた。アーサとかモズクとかクビレズタとかヒジキとかである。まったくの専門外のサンゴの海の植物たちの話なので理解するまで大変だった。方言名「アーサ」と、いわゆる「アオサ」が違う種類って知ってましたか、みなさん。

そして今年の夏、ようやく潮間帯（潮の満ち引きするところ）に生息する海藻・海草の視点で、沖縄島の海岸線、浜辺の景観を味わうことができるようになった、と思いこむことに成功した。

海藻・海草は、どこにでも生息しているわけじゃなくて、一定条件を満たした場所に、きわめて細かく棲み分けしている。島の南と北、東と西の海岸線の、地形、地質、季節の風の吹き具合、波のあたり具合、潮の干満具合によってぜんぜん違うのだ。

宜野座のその浜は準開放性のポケット浜で、北部特有の琉球石灰岩よりもっと古い地層で、これって嘉陽層？　この岩場、褶曲《しゅうきょく》してるし。などと思いつつ、波間に漂う海藻・海草を見つけた。海中に黒々と見えるのが海草が群生している「藻場《もば》」といわれるところだ。海中でゆらゆらしているその姿を見たかった。海の楽しみ方はいろいろあるのだ。

あんな風に、いろいろ厳しい環境のもとでも、ゆらゆらと自然体で暮らしていきたいものだ……などと、小さな島の都会生活者はつぶやきつつ、宜野座の渚でほんの少し、夏を味わった。

そのあと、宜野座の道の駅で地域観光地図を手に入れ、人気のあるカフェでボリュームたっぷりのランチをとり、静かな図書館で本を読んで、その他いろいろ宜野座を満喫した。宜野座の穴場、また行きたいなぁ。

「オードブル・ウークイ供え物じょーとーやさ」仮説

今年のお盆は、沖縄の旧暦のお盆、いわゆる旧盆と、全国的な月遅れのお盆が同じ日でしたね。つまり旧暦七月十五日と新暦八月十五日が一緒だったというわけですが、そうか全国的には、最近できた休日「山の日」が八月十一日なので、十三日からのお盆休み、さらに八月十五日の日本敗戦の日と続いているのだなぁ。

今年は、お盆三日目のウークイにトートーメーに供えるお餅を、牧志の市場で買った。ここ数年、お盆オードブルと一緒にスーパーで頼んでいたのだけど、第一牧志公設市場が工事のため仮設店舗に移転した夏、ということもあって、定点観測的に市場通りをぶらぶらしながら、お盆のお餅も買ったのだ。

昔は母親に頼まれて、お盆のお菓子全般を買いに行ってたこともあったけど、久々に立ち寄った製菓店は意外と空いていた。もちろんたくさん準備されているお餅やお菓子は、どんどん買われていくのだけど、きわめてスムーズにお盆の買い物ができた。一つずつパッケージされていないお餅を選ぶと、少しだけお盆テンションがあがる。年々市場でお盆の買い物をする人は減っているというけど、そこに市場がある限り、旧盆の買い物に出かけるスタイルは消えないとは思う。

最近はお盆の準備、特に供える料理をスーパーに注文という需要は増しているようだ。年々充実するお盆用のチラシを見ていて、そう思う。特筆すべきは、お盆にオードブルというのが完全に定着し、なおかつ供え物としても活用されてきた、というところだろう。

お盆の供え物は伝統的に昔から決まっているかのようにみえるが、例えば、くだものなどには流行がある。今の定番ともいえるパイン、リンゴなどはよくよく考えてみると、昔からあったはずはないのだ。最近のはやりでいうと、キウイとか。

しかしウークイという肝心要の日に供えるお重は、三枚肉、カマブク、クーブなどの、「ザ・旧盆・オールスターズ」ともいうべきセットである。したがってスーパーマーケットもかなり力をいれてお重セットを売り出しているが、なかなか高価である。

そこで、どうせならウサンデー（供えたあとのおすそわけ）に、みんなが食べやすいものを、ということでオードブルが格上げし、供え物として活用されはじめてきた……のではないかという「オードブル・ウークイ供え物じょーとーやさ」仮説をたててみる。行事の供え物としていけるかどうかの判断は、とても興味深い問題なのである。ケンタッキーフライドチキンは、結構定着しているという話も聞いたことがある。ではいまや沖縄料理として紹介されるタコライスはどうか……などなど。

そういえば、そもそも年中行事にオードブルが定番化したのはいつごろからだろう。他府県はどうなんだろう。疑問はつきない。これらの諸問題は来年のお盆までの課題としておこう。御願が通るか、通らないかは、あなた次第です！

ちなみにお盆の間じゅう、こんなことを考え続けていたわけではありません。

遠く離れた隣町の自転車本屋さん

沖縄になんども訪れる旅行者、リピーターといわれる人たちの知り合いが、職業柄なのか多い。ボーダーインクの本もたくさん買ってくれて、沖縄にシンパシーを抱いている方々だ。ありがたいことだが、不思議な気もしていた。なんでなんども沖縄の同じ街、島にやってくるんだろうかと。しかしこの一年ちょっとの間に三回も台湾を訪れて、少し気持ちがわかった気がした。ついこのあいだ台北に観光旅行して滞在中、次はいつ行こうかと考えたりしていたのだ。

まぁ台北でもやっていることはいつもと同じで、街をひたすら散歩していたのだけど、おもしろいったらありゃしない。一応目的地を決めるのだが、やはり適当に歩いていく。知らない街のはずなのに、どこか那覇の隣町のような気がする通りを、簡単な地図とグーグルマップを使いなんとなく歩いていたら、小さな公園で、小さなイベントを発見。フライヤーには「世界的八月半」と書いてある。中秋の名月の日（旧暦八月十五日）に併せて、客家系台湾人の若きアーティストたちが、バンド、ＤＪのライブや芝居をしたり、子どもたちのためのペインティングやお祭り参加者にお茶を振る舞ったりしていた。

その中でブルーシートに子どもたちを集めて、絵本を読み聞かせしている青年を発見。本のある場所はなんとなくどこも似ている。古書も売っている箱もあったので、どれどれとのぞいたら、横に置かれている自転車に「脚踏車本屋」と看板がある。おー、自転車本屋さんだ。「BOOK BIKE」「自転車本屋」とも書かれている。

自転車本屋さんって、なんてビューティフルなアイディアですね～なんて、つい話しかけたら（といってもほとんど手振り身振りだが）、二年ほど前から始めた自転車本屋さんだそうで、自転車だからどこにでもいけるから便利だという。なるほど。

沖縄から来た編集者やいびーん、と自己紹介したら、「あっ、沖縄といえば、市場の古本屋ウララを知っている！」というではないか。すかさずその本、『那覇の市場で古本屋』（宇田智子著　ボーダーインク）を編集したのはぼくなんですと言ったらびっくりしていた。この本は台湾でも翻訳出版されているのだ。

ついでにぼくの本『ぼくの〈那覇まち〉放浪記』も台湾で出版されてますよとちゃっかり宣伝すると、さっそくスマホで調べてくれた。

買うよ、絶対にね。というような笑顔に、那覇に来る機会があったらぜひ連絡して、なんてつい調子にのって言ってしまった。来年東京オリンピックがあるので日本に行くから、そのついでにと、青年はニコニコ笑っていたが、本当に那覇の市場で会えたらおもしろいなぁ。やはり台北は那覇の隣町なんじゃないだろうか。

まぁ多分こんな出会いがいろいろあって人はリピーターになっていくのだろう。

ぴかぴかの首里城の記憶

耳元でささやかれたような気がして目が覚めた。

その声は家のそばにある防災無線からのアナウンスだった。首里で火災があったので、警戒してください、という内容で、ぼくはそれを「首里中《しゅりちゅう》で……」という風に思った。うちからそんなに近くはないけれど学区内ではある。二階の窓をあけてみたが、それらしい気配は感じなかった。（後日「起こしたのは私だよ」と妻に言われたが憶えていないのだ……）

たぶん大丈夫。でも念のために、SNSになにか情報があるかもと思い、スマホをみると、こんな夜更けにメッセージが入っていた。「首里城が燃えている」画像が添付されていた。そんなことが……。あわててテレビをつけてみた。東京にいる娘からもメッセージが届いていた。

妻とふたりで車を出して、弁が岳から龍潭を目指した。途中、考えられない角度で火の手があがっているのを見てしまい、少しずつ悪夢のような光景に近づいているのだと感じた。

ぼくは結婚、そして娘の誕生とともに、首里に引っ越してきた。以来ずっと首里に住んでいて、娘はすでに社会人となって内地で暮らしている。彼女は生まれたときから首里城正殿が存在していた世代だ。

その娘がベビーカーに乗っているころから、首里城にはよく出かけていた。首里の坂をのぼり、龍潭から首里城を眺めながら、いくつかの門をくぐり、芝生の木陰へ。妻は首里城周辺を散歩するたびに、そのころの思い出を語る。いい思い出なのだ。子連れにやさしい首里城なのだ。正殿、御庭エリアに入場するのは、そう多くはなかったけれど、首里城のあちこちを散歩したし、日常の生活の背景に首里城の姿はあった。

夫婦ふたりで散歩するときは、夕暮れどきからライトアップされた首里城を遠く近く、眺めながら歩き、そのあたりの飲み屋で過ごすこともある。車でうちに帰る道すがら、池ごしに首里城の姿をなんとはなしに確認する。

首里文化祭（と、地元住民は今でもそうよぶのだが）のときは、旗頭の道じゅねーを見たあとに、首里城での振る舞い泡盛を飲んで、そのまま芸大祭をのぞいたりして。十一月三日の首里は楽しいことばかりなのだ。意外と知られていないけれど。

鳥堀町、赤田町、汀良町と、首里城を遠巻きにしつつ車を走らせる。思いのほか静かだったのは、風向きのせいだった。とても現実のこととは思えず、子どもが小さかったころ住んでいた儀保町から、首里城へ続く坂道をのぼって、龍潭のほとりへむかった。そこには多くの人が集まっていたけど、池ごしにみえる大火をただ呆然としながら静かになにも出来ずに眺めていた。びっくりするくらい静か。目の前の揺らぐ炎を理解できない、言葉にならないでいるのだ。こんなこともあるんだな。

あのとき、多分ぼくらはその光景に沖縄の歴史を重ねていた。また失ってしまったかと。

一九九二年、復帰二十周年の節目に復元されたぴかぴかの首里城を、当時、ぼくは少し距離を持ってつきあっていたと思う。一九七二年の沖縄の日本復帰の年、ぼくは小学校四年生で九歳だった。それから二十年後の一九九二年、「復帰二十周年」の目玉として首里城は、国営公園として開園した。一九四五年、沖縄戦で焼失して以来はじめてその姿がよみがえった光景に、ぼくらはとまどいがあった。なぜなら戦後世代にとって、沖縄の城・グスクは、城壁以外に建物のないところというのが普通の姿だったのだ。突然あらわれたぴかぴかの朱い漆塗りのその姿に、とまどい、そして、反発さえした。それはぼくたちが、自分たちの歴史を体感していない世代だからこその反応だったと思う。自分たち若い世代にとっての沖縄らしさとは、新しく創り出す以外にないと確信していたのだ。若気の至りともいうが、しかたない。あのときの思いに嘘はない。

その五百年にわたる歴史の中で、なんどか焼失したとされる首里城。ぼくたちの歴史的記憶の中では沖縄戦で失われた首里城だった。そして今またしても、失われた首里城の記憶をもった。願わくば新しい世代に、もう一度ぴかぴかの漆塗りの首里城正殿の記憶をもってもらいたい。いまはただどういう風にこの気持ちをあらわしていいのかわからないけれども。

首里城が炎上したその週末十一月三日に行われるはずだった「琉球王朝祭り首里」は中止となり、首里各町の旗頭の演舞も取りやめになった。しかし一部の町では、町内だけで旗頭の演舞を行っていた。大中町の旗頭は首里劇場の前でも演舞していた。

あの夜から何度か首里城かいわいを時間をかけて歩いた。行われるはずだった祭りのコースを歩き、旗頭の行列を思い浮かべた。そしていろんな人と「平成の首里城」について話し合った。日々の暮らしの中で、首里城を意識していなかった大部分の県民が、炎に包まれ、崩れ落ちる正殿の姿に呆然として、語ろうとするたびに涙してしまうのは、なぜなんだろうか。

あの夜まで、ぼくたちは気づかなかった。平成の首里城が、二十七年かけて、国営公園からシンボルになっていたことに。いやもしかしたら、焼失するその姿を共有したことで、絶対に忘れられない風景となり、あらたな歴史をまとった沖縄のシンボルになったのかもしれない。この全方位的な喪失感はシンボルそのものだろう。シンボルは、その姿がなくても、人々のあり方に、社会に影響を及ぼす。良くも悪くもぼくたちは無意識に支配されてしまう。だからこそ、ぼくはいまストレートに「沖縄のアイデンティティーの消失」とは言えないでいる。沖縄にとってのシンボルは、これからのわたしたちの選択として創り出すこともできるはずだから。

今週末もまたきっと首里城周辺を歩くことだろう。しばらくは失われた風景を慈しみたい。風景は歴史そのものだ。沖縄が、戦前・戦後歩んできた歴史は、いまここから見渡せる風景にある。

第三部

「煮付け」の似合うお年頃

二〇二〇年から二〇二二年まで

新春、首里トレイル・ウガンジュ・ランニング

二〇二〇年の正月休み、なんだかんだで三十キロ近く歩いていた。なんということだ。

まず元旦の日に我が家の恒例となった「首里十二カ所巡り」である。首里にある有名どころの神社仏閣には、それぞれ十二の干支の守り本尊がありまして、それを一挙に回るのが「首里十二カ所巡り」である。一つの寺社で複数の干支を担当？　しているので、本当に十二カ所を回るわけではない。そして正月のタイミングで歩く、という風習もないのであるが、いつのころからか我が家は、干支十二カ所以外に首里の名だたる御嶽、そして首里城も加えて歩くようになっている。それぞれで手を合わせ、なんとなく、かつ満遍なく祈願する。首里城の新春の宴も堪能して、今年はそのまま首里観音堂、坂下を下り、安里八幡まで足を伸ばした。これでだいたい十キロ程度である。二日、三日となんやかんやと出かけたりして、三キロくらいは歩いた。

正月クヮッチーで体も重くなった四日目。これじゃまずい、運動せねばと、がばっと家を出て歩き出した。最初は早足の散歩のつもりであったが、もしかして小走りだったらより体に良

いんじゃないのと安易に思い、首里の森や谷、川や池を通り抜けるコースをすたこらさっさのひやさっさと走ってみた。

首里は坂の町であり、実は自然の森もちらほらある。那覇を流れる川の源流となる深い谷もあるのだ。そこを目指して斜面を下りたり上ったりしてみた。名付けて「首里トレイル・ウガンジュ・ランニング」。那覇で一番標高の高い弁が岳の頂上では、ひとりで新聞を読んでいるおじさんとばったり出会い語り合い、崎山町の谷間では、こんなひとけのない森になぜだ？金髪の若い白人カップルとすれちがったり。そのまま崎山町の御願所から首里城への坂を駆け上り、だれもいない城壁へ。いまはない正殿を偲んだあと、小走りで城の外回りの御願所まで、いちはーはーしっつうーとーとーした。ジョギング姿ではないので、すれ違う観光客からは、バスに乗り遅れそうであわてているおじさんと思われただろう。しかしだ、意外に楽しかったのである。拝みと自然散策と地形を楽しむ坂上りの首里トレイルラン、いけると思います！この日は七キロ小走りしました。

五日目。とにかくいい天気が続いたので、この日もあてもなく自宅から散歩を開始して、ふと川沿いを歩くというコースを選択した。できうるかぎり川の傍の道を歩く、ということで首里の上流から下っていった。決してきれいな川ではないのだけど、はなをつまみつつ川と寄り沿い、暗渠を愛でつつ歩くのも、なかなか楽しい。途中、儀保町の宝口樋川《タカラグチヒージャー》に立ち寄ったら、湧き水が再び復活していた。うれしい発見。

真嘉比《まかび》川の遊水地の流れは金城ダムの流れと合流し安里川となり、栄町市場の傍を蛇行しつつ、やがて汽水域となり、久茂地《くもじ》川と名をかえて美栄橋あたりでガーブ川と合流していく。こんな小さな街並みのなかにこんなにもダイナミックな地形と流れがあるんだなぁとあらためて実感。川の流れに足をまかせ、それぞれ街行く人々の姿を眺めて、気がついたら十キロ歩いてました。そして当然のごとく、久茂地でビール飲んで、ゆいレールで首里に上って帰りました。文明の利器は便利なもんである。こんな感じで、正月そうそう散策三昧となったが、なんとなく今年はよく歩く一年になりそうな気がしてきました。

ちなみに首里十二カ所巡りで引いた二度のおみくじは「末吉」でありました。なんでよ！

「煮付け」の似合うお年頃

いよいよ「煮付け」を注文する歳になった。

ここんところ足繁く通っている太平通り商店街に小さな食堂がある。水上店舗に軒をかまえる店のひとつで、あまりにも風景にとけ込んでいるので、常連客以外、そこにあることを気づかれないであろう、たたずまい。

小さいときからずっと歩いていた太平通りは、この牧志市場周辺で一番雰囲気が変わらない、いまも地元客で賑わっている通りだ。「豊食堂」もたぶん昔からあるはずだが、ぼくは一度も入ったことはなかった。ごく普通の沖縄の食堂としても小さな部類にはいるであろう。昭和三十年代の映画のセットのような入口とメニューサンプル。狭い店内ぜんたいが、古ぼけたガラス越しに見える。お客さんは小さなテーブルに挟まれたいすにちょこんと座っている。そのちょこんとした感じに、ぼくなんか若造（?）が入っていいのかしらん、と無意識に思っていたのかもしれない。しかし市場周辺がここにきて加速度的に変化しているなか、その変わらない風情をしっかりと味わおうと、初めて豊食堂に入ったのが去年の秋のこと。

ああ、じぶんの子どものころの食堂ってこんな感じだったよなぁ。思った以上にこじんまりとした店内に思わず笑みがこぼれる（のを押さえるのだが）。お客さんはおばぁちゃんが数名、やはりちょこんと座っている。穏やかな時間が、店内を満たしている。ゆっくり注文して、静かに出てくる料理を、やわらかく食べる、買い物帰りのおばぁちゃんたち。なんてピースフルな光景なんだろう。おばぁちゃんたちが注文するのは、ほとんど「煮付け」である。持ち帰りで頼むおばぁちゃんも多い。おうちにいるおじぃに食べさせるのだ。きっと。

よくよく考えると、食堂のスタンダードなメニューのなかでも特に異彩を放っているネーミング「煮付け」。いったい何が出てくるのか。沖縄の食文化に精通しているか、地元民じゃないと意味がわからないだろう。一言でいえば、沖縄の行事で御供《うさぎ》られた料理をウサンデーする際に煮付けて食べる家庭料理と思えばいいかも。行事食を再調理しているわけである。たぶん。さっと食べたいから、煮込むのではなく煮付けるのだ。

三枚肉、豆腐、かまぼこ、昆布、ねじりこんにゃく、大根といった、伝統行事には欠かせない「重箱」に詰められている、ウサンデー・オール・スターズを基本として、煮付けておいしいその他の野菜、穀物を加えて、食堂のメニューとして並んでいるのが「煮付け」である。だから食堂ごとに微妙に内容は違う。

煮付けを頼むことが出来るのは年配の方々。というか、若いころのぼくは、わざわざ食堂で頼むものなのか、という意識があったに違いない。

考えてみると、食堂で頼むメニューというのも、人生の段階において、それぞれ違ってきたように思う。小さいころは「ぜんざい」「沖縄そば」。やがて食欲旺盛なころには「Aランチ」やら「野菜いため」やら「チャンプルー」やら、ボリューミーな定食、丼物になり、そこに「みそ汁」や「ちゃんぽん」といった、他府県でもありそうだが、実は沖縄独自でシマー化していったメニューが加わり、家庭で普通に意識することなく食べていた「ポーク卵」にも食堂ごとにバリエーションがあることを知り、さらに中年となって実は沖縄料理は鰹だしが効いていることに気づき、胃に優しげな「中味汁」、なんだかそのホワイティーな感じがおしゃれにさえ感じて「ゆしどうふ」なども注文していく……。

そうした段階を経て、ふと静かに自分の半生を振り返るかのように、重箱のウサンデーではなくて、「煮付け」を食堂で頼む日がくるのだ。嗚呼。

あまりにも平和な空気に抱かれた豊食堂で、ついつい夢想が過ぎてしまった。気がついたら初めて食堂で頼んだ煮付けをきれいに平らげていた。ぼくより先に注文して食べていた隣のおばぁちゃんはまだひとり静かに煮付けをもぐもぐしている。

ぼくも煮付けをしみじみとおいしく感じる歳になったのだなぁ。大人の階段を上ったのかもしれない。いや、人生の階段を静かに下《お》り始めたというところか。転ばないように、ゆっくりゆっくり下《くだ》ってこう……。

泡瀬パラダイス

例のウイルスのために、とっても楽しみにしていた台北行きを断念した。もちろん台湾が危ないのではなく、感染が拡大している日本（沖縄だけどね）からの旅行ということで、台湾の知り合いから、「どちらかというと今回は断念したほうがいいと思います」という連絡をもらったのだ。しかたない、しかたない。

楽しみにしていたパーシャクラブのライブも、去年から予約していたのに、このウイルスのため中止になっちゃった。ライブハウスが悪いわけでもない。しょうがない、しょうがない。しょうがないのよ、春なのに……。

しかしこう連続して楽しみにしていたことがなくなると、納得していても、なんだが鬱々してしまい、旅行を断念した週末、やーぐまい（家籠もり）していた。しかし外はいい天気で、感染症のことさえなければ、とってもいい春の一日なのだ。ぼくたちは、人混みをさけて、窓をあけたまま車を走らせて東海岸へ向かった。

何度も通った東海岸のドライブコース。でもあまりなじみのないのが中城湾。いつもは眺めているだけの海岸沿いに車を停めてみた。静かな住宅地のすぐそばの、準開放性の海岸線。干潮らしく、だいぶ沖の方まで浅瀬になったイノーが見渡せる。浜辺近くには、あーさの養殖のための網が張られて、緑の畑といった案配だ。

しばらく散歩すると、入り江の先にちょっとした奇岩をみつけた。沖縄の海岸近くによくあるキノコ型の岩だけど、小さな島のような存在感。靴の底をぬらしつつ近づくと、風化してなめらかな

岩肌に、いい案配の穴があり、ちょっとしたベンチのようである。しばく座って沖を眺める。あとで調べてみたらちゃんと名前がついていて、なんと「豆腐島」というのだ。確かに少し離れてみたらそんなかたちをしていた。

そこからもう少し先の、泡瀬の防波堤まで車を走らせた。泡瀬干潟は埋め立て工事がずっと続いていて、ここを通るたび複雑な気持ちで、車窓ごしに沖合の風景を眺めていた。今日はまだ行ったことのない防波堤の先の、その先まで歩いてみよう。

通信施設のフェンス越しに続く防波堤は、泡瀬のはしっこをぐるりとまわっている。静かにふたり歩いていくと、少しずつ街の気配は遠のく。潮干狩りをしている人たちの姿も見えるのだが、蜃気楼のように遠くの風景だ。

それほど泡瀬の海は、びっくりするくらい遠くまで干潟が広がっていた。それもびっしりと緑色なのである。春の海藻の緑だ。海藻はじつに不思議な繁殖をするのだけど、陸上の我々はほとんどそのことに気がつかない。実は沖縄の海辺の環境を支えているのである。

陸と海の境界線から眺める幻想的ともいえる光景に、ぼくは思わず「ここはパラダイスか」とつぶやいた。

そうだ、どこにもいけないぼくたちがたどり着いたのは「泡瀬パラダイス」だったのだ。

春はいつもとおなじようにやってきて

学校が突然お休みになって、子どもたちはいつもとは違う時間の過ごし方を余儀なくされていた。小学生のお子さんを抱えるお母さん、お父さんたちは大変だろうと、子育てを終えたぼくは、漠然と考えていた。

テレビやネットの情報をチェックしつつ思う。春はやってきた。今年の三月はとてもおだやかな天気が続き、風の肌触りもあたたかい。街角で見かける自然は、いつにもまして鮮やかだった。右往左往しているのは人類だけ。春はいつもと同じだ。

そんなころ、朝、仕事場に向かって車を走らせていた。識名のトンネルをぬけて、傾斜のきつい広い二車線を下る。小中学校が休みになると、車は混雑しない。ゆっくりとバス停横を過ぎる。ふと目をやると、今日もいた。小学三年生くらいのリュックを背負った男の子と、そのお母さん。淡いピンクのカーディガンを羽織りマスクをしているお母さんのまわりを、ぴょんぴょん跳ねるようにして、小さな青いリュックを背負った男の子がじゃれている。

臨時休校になってからその親子はこの朝の時間帯にバスを待つようになった。信号待ちでふとみると、ふたりはじゃんけんして、指を右にむけたり下にむけたりして遊んでいる。「あっちむいてホイ」だ。あまりにも楽しげな様子に、ぼくは瞬間、心を奪われた。


男の子を見つめるお母さんのまなざしのあたたかさ、見上げる男の子のうれしさを隠せない笑顔。子育てしていたあのとき、なんども味わった至福。幼子とのドリームタイム。

お母さんの職場に一緒に行くのか、その近くの学童保育に預けに行くのか、それともおばぁちゃんちに行くのか。バス停でバスを待つ、ほんの少しの時間、ふたりはとても楽しそうだった。信号が変わりぼくは車を走らせる。サイドミラーでその親子の姿をちらっと見る。バスはまだ来ないようだ。ふたりは、もうしばらく、あっちむいてホイが出来るはず。

今年の春は今までとまるで違う世界にいるような気分。世界はこのまま変わってしまうのかもしれない。でも春はいつもとおなじようにやってきて、やがて夏の風が吹いてくる。あの親子の時間も確実に過ぎていく。

夕暮れにしずむ休業の張り紙

不要不急、在宅ワーク、時短、時差出勤、テレワーク、ステイホーム、「うちで踊ろう」、やーぐまい、休業要請、テイクアウト始めました、社会的距離、などなど。今年の初めにはまったく考えてもいなかった日常となり、那覇の中心地から人びとの姿は消えた……というくらいに、出歩くひとは減った。

地域のスーパーはそれなりにまだ混んでいたりするらしい。大丈夫かなと思いつつ、ぼくの住んでいる首里近辺は、さすがに出歩くひとの姿は、確実に減った。首里城炎上から数か月経て、新型コロナウイルスの影響下でシーミーも終わるころ、やーぐまいの日々は続く。

そんななか、ぼくはさすがにまち歩き・散歩というわけにはいかなかったが、時短出勤・在宅ワークを経た一日の終わり、おとろえる筋力維持のため（通っていたトレーニング・ルームが閉鎖になったのだよ）夕暮れの首里城近辺を小走りしていた。「首里トレイル・ラン」である。

四月の首里は例年以上に寒かったけれど、ひとけのない首里から見る夕日はほんとうに美しかった。沖縄県の緊急事態宣言が出るまでは、実は、首里城公園、ぎりぎり入城出来たのである。午後七時半まで。さすがに閑散として、ほとんど誰もいない首里城のなかを、ぼくは小走りで駆け抜けた。もちろん焼失したエリアは入れるはずはないが、瓦礫《がれき》の片付けがすすむ正殿エリアをのぞくことはできた。

それはそれは、とても不思議な気持ちになる風景だった。警備員さんとぼく以外誰もいない首里城。ところどころの展望台に、時折、観光客はいたけれど（そういたのだ！）、ぼくのようにジョギングするひとはいない。マスク姿のぼくはこれまでだったらとても怪しいひとだったと思う。首里城の城壁沿いの階段を上ったり下ったりして、ときおりすれ違うウォーキング、犬の散歩の方々を驚かしたかもしれない。

そんな風に夕暮れの首里を走っているうちに、少しずつ通り沿いの店が休業していった。休業お知らせの張り紙がぽつりぽつり貼られていく。感染拡大防止のためやむを得ず閉めていくお店の方々の苦悩はいくばかりかと心痛める。そしてその張り紙一つひとつに彼らの気持ちと決意をひしひしと感じた。寂しい、悲しい、切ない通りの風景だけど、ぼくは覚えておこうと思った。休業を伝える張り紙一枚いちまいに、そこでがんばっているひとの姿を思い浮かべたかった。

張り紙は、街のどこでもみかけるようになった。職場と自宅の往復だけの自粛生活のなか、どうしてもやらないといけない用事で出かけるときに目にした「休業お知らせ」の張り紙たち。

もうすぐ小満芒種。雨の時候に突入する。梅雨が明けるのがさきか、新型コロナ禍が明けるのがさきか。ぼくたちのやーぐまいの日々は続く。

コビット19のビッグ・ウェーブ

……双子の女の子とぼくは、あれからコビット19のビッグ・ウェーブを果敢にライド・オンしてやりすごした。次の波がやってくる間、ぼくたちは、ひとけのない渚で、お互い心の距離を保ちながら、コロナビール片手に夕暮れのビーチで沈む夕日をながめていた……。

新型コロナウイルスの第一波に対する緊急事態宣言にしたがって社会生活を自粛した我らの日々を、一九八〇年代風に書くとこうなる、ということにしておこう。

実際は、在宅ワークで夕方になるとベランダでビールを飲み、時折健康維持のためのランニングがてら、首里城の城壁沿いから沈む夕日を眺めていたのだが。時間が沈殿するような感覚で日々が過ぎていった。また山下達郎のラジオを聞いている、一週間ってこんなに早くて、でも長いんだ、という風に。

テイクアウト、オンライン飲み会が日常化するころ、沖縄県も緊急事態宣言を解除した。沖縄県民はがんばったと思う。やればできるじゃん。あらん、なとーんどぉー、でぃかちゃん、ぐすーよー！　とここは評価して、自分たちでお互いを褒めあっていいのではないか。拍手パチパチパチ。

県内感染者ゼロのネットニュースを確認するたびに、ほのかに生まれた沖縄県民全体の一体感。安くなる本マグロの大トロ、中トロ。県内にこんなにおいしいイタリアン、中華の店があるなんて。歳をとると痩せるのは筋肉からなんだな。がらんとした国際通りを車で走っていたら、バス停ごとに、時間調整のためにハザードランプを点灯しながら停車しているバスという光景をみた。いろんな気づきがあった新型コロナ自粛中であった。

この一か月、遠出などもちろんできないので、首里の自宅近辺をランニング、散歩していた。大型連休のころから、通りに普通の人出はないものの、夕方、散歩する人が増えた。あんなに歩かない県民性だったのに。年老いた夫婦が一緒に寄り添いつつ歩く姿をみて、なんだか泣けてきたりした。ずれたマスクを直してあげたかった。自粛中で家庭内ＤＶの問題があるなか、逆に、お互いの健康を心配し仲良くなった夫婦、カップルもいただろう。

休業お知らせの張り紙の写真を撮りつつ、ひとけの無い首里の町を走った。テイクアウトをする店がどんどん増えてきて、チェックするのが楽しみになった。今年はいつもより遅い時期にテッポウユリが咲き始め、月桃の花もまけずに目立っていた。鳳凰木の燃えるような紅い花も少しずつ咲き、シロツメクサの小さな白い花があっというまに地面を覆った。

人の社会活動が減って地球環境は明らかによくなったらしい。沖縄はどうだったのだろうか。

『1984―88』ぼくは「六人組」の追っかけだった

一九八五年の夏、「青い海」という雑誌社で仕事をしていた。その年の春、大学を卒業したぼくは一度内地で就職したが、ものの一か月で辞めて沖縄に戻り、その後、新聞の求人欄でみた「青い海」の編集部になんとか入ることができ、雑誌作りのなんたるかもしらぬまま、編集者として働くことになった。まぁその「青い海」も三か月後に倒産し、その後一年ほどアルバイト生活が続くのであるが……。

そのころは原稿もほとんど手書きで、執筆者の原稿を受け取りに行くのがぼくの仕事であった。ネットどころかファックスも一般的でなかったのだ。そのなかで編集者として取材をまかせられたのが、間近にせまったピースフルラブ・ロックコンサートに出演するバンド紹介である。出演バンドに連絡し話を聞いて、わずか数行の文章をまとめる。そこで出会ってしまったのだ、「六人組」というバンドに。

当時、沖縄のバンドシーンは、ハードロックを主体とするコザの「オキナワン・ロック」が主流だった。そのなかで、一九八五年「ＮＨＫヤング・ミュージック・フェスティバル」全国大会に出場し「水辺の踊り」でグランプリを受賞した六人組のサウンドは、他の沖縄のバンドとは一線を画していた。「沖縄、東南アジア、中国のメロディーとリズムをポップスというジャンルの中でロック、フュージョンなどの音楽ととけあわせた六人組独自のサウンド。リズミック&ダンサブルな曲が主で、オリエンタルなメロディーを聞かせます。歌詞は全て日本語で、外国人にもアピールできるようなバンドになりたい」と宣言していた彼らとの出会いは、今の自分にも影響を与えている。こんな風に沖縄を表現できるんだという可能性にぼくは歓喜した。簡単に言うとファンになったのだ。

その年のピースフルラブ・ロックコンサートに那覇代表という感じで出場した六人組のライブを見て、その後、追っかけ状態で彼らのライブに通い詰めた。周りにもこんな凄いバンドがいると宣伝しまくり、自主制作のカセットテープを聞かせた。リーダーの国場幸順さんにも何度も話を聞かせてもらった。ちなみに当時メンバー五人なのだが、観客を含めて「六人組」ということだった。

ぼくの追っかけは、二年ほど続いたのではないか。彼らは、全国のライブハウスツアーをへて、国際的なプロデューサーのもと、メジャーのレコードデビューもほぼ決まっていた。

しかしそれから数年経って、彼らは全国デビューすることなく解散した。正式な音源は一枚もないまま。さまざまなアクシデントがバンドを襲ったらしい……。ぼくは次世代の沖縄を代表するバンドになるはずだと確信していたので、その後一九九〇年代初頭の沖縄音楽ブームのなかに、六人組がいないのが残念でならなかった。あれは夢だったのか……。

リーダー国場さん、ボーカルのミユキさん、ギターの矢野憲治さん、ベースの金城弘樹さんは、その後も音楽活動を続けて、ソロアルバムも発表していた。ぼくは『水中庭園』『見果てぬ夢』といった個々のアルバムのライナーノーツを、当時のファン代表の気分で書かせてもらった。それでも、あの時代に六人組がデビューしていたらという気持ちはずっと心の中に秘めていた。手元には六人組の自主制作テープと、一九八六年ごろの那覇のライブハウスで録音されたカセットテープ（音響スタッフが知り合いで密かにもらったのだ）だけが残った。ぼくはその後も、時折取り出しては聴いて、当時の可能性に思いをはせていた。取材や追っかけ時代に撮っていた彼らのスナップ写真と一緒に。

あの夏から三十六年経ち、突然、六人組初の正式音源が今年の七月二十二日、リリースされることになった。当時から彼らを知るミュージシャン・プロデューサーの久保田麻琴さんが、八五年の自主制作デモテープと八六年の那覇・ウエストエンドでのライブテープをマスタリングして、全国発売されることになったのだ。

実は、その音源となったのが、ぼくがずっと持っていたあの二本のカセットテープなのである。メンバーでさえ手元になかったテープだったのだ。CD化の話があるということで国場さんから連絡があり、当時の写真とともに喜んでお渡しした。そして、そのアルバムのライナーノーツも書かせてもらったのである。これぞファン、追っかけ冥利に尽きる、真夏の夜の夢のような話ではないかしらん。

あの夏、ひとり浮かれて六人組のライブで不器用に踊っていた自分に声をかけてあげたい。

アルバムのタイトルは『１９８４－８８』だよと。

やまくにぶーの甘く危険なかおり

少し気をゆるめたい。遠くまでいかなくていいから、ほんの少しだけ、ちぢこまったこころとからだをのばしたい。

そう思っているうちに、新型コロナウイルスの次の波がやってきてしまったようだ。予想はしていたものの、それを上回るスピードで感染がひろまり、また自粛生活せざるを得ない状況で始まった八月。

テレビから流れるドラマで、登場人物がマスクをせず、普通に会話して接触しているのを見て、ふと別の世界の話のような気がした。アナザーワールドという設定はＳＦ、ファンタジーの設定かと思っていたら、ぼくらはすでにその世界に来てしまったのだなぁと実感する。

それでも、これまでの生活、季節感を手放したくない気持ちがある。いつもやっていたことを普通にしたい。遠くまで行かなくてもいいから、ほんの少しだけ前と同じようなこと。

市場通りで店を再開した小商い業の彼女と、マスク越しの立ち話&座り話していたら、通りを歩いていた別の知り合いが手にしていたあるものに、はっとした。この時期にしかない、新聞紙に包まれたあるものといえば、やまくにぶーに決まってる。

やまくにぶーは、沖縄ではむかしから衣服などの防虫用として使われてきた独特の香りのする草。天然の防虫・芳香剤である。本部町《もとぶちょう》の山間で自生しているやまくにぶー（和名・モロコシソウというらしいけど）の枝葉を、伊豆味《いずみ》区の生産者が独特の技術で加工している。この時期にほんの少しだけマチグヮーに出回るのだ。

その香りはなんとたとえればいいか。小さいころ遊びにいったおばぁの家に漂うにおいとでもいえばいいのか。しっとりとしているような、でもかわいたような……。鼻を刺激するのではなく、こころの奥をやすめてくれるような……。でも昆布みたいなうまみのあるにおい。

うちの家族はこの香りが大好きで、毎年、この時期になると、市場のやまくにぶー情報に気をつけているが、しかし、ときに買いのがして、来年こそはと悔しがったりしていた。でも今年は新型コロナ騒ぎで、やまくにぶーも作られてないんだろうなと思っていたのだ。

さっそく売っている店をきいて、仮設の公設市場へ向かった。

細々《こまごま》としたうちなー雑貨あれこれを売っている店先に吊されたやまくにぶーの束を指さし、とりあえず三つ買った。店のおじさんは、新聞紙でくるりくるりと包み、手渡す。そう新聞紙じゃないとねー。

ひと東六百円。新聞紙ごしのしっとりとした感触を感じる。店の前には数人の市場のおじさんたちが、刺身をつまみながら、ゆんたくしている。ぼくが、まよわず、やまくにぶーを買っているのをみて、「にいさんは、首里の人ねー」と聞いてきた。ぼくは正確には「首里の人」ではなく「首里に住んでいる人」なのだが、そうだと答えると「やっぱりねー。やまくにぶー買う人は首里の人が多いよね」という。なるほどね。なんとなくわかる気がする。

うちはクローゼットに吊すのではなく、いつもリビングや台所に吊している。やまくにぶーは、ウイルスをやっつけないけれど、少しだけ気をゆるめたいぼくたちにとってはありがたい香りだ。ちぢこまったこころとからだだけど、その香りにつつまれながら、これから先のもうひとつの世界を夢見てみたい……。

コロナ禍のオードブル文化考序説

全国的には残暑とよべないほどの猛暑が続いていて、ここ数年の七月と八月は沖縄の方が日中気温が低いという気候がもはや当たり前になった感がある。

そんななか、緊急事態宣言継続と旧盆と台風がいっぺんにやってきた沖縄のエンドレス・サマーならぬコロナズ・サマー。どう過ごしたのか記録することは、のちのちに大切になるからと思いつつ、台風の日は停電・断水さえなければ、つい昼間からビール飲んだりしてしまうのは一緒なのだ。

しかし親戚まわりは自粛、ウンケーはバス運休とともに午後三時からでもいいんじゃない、ウークイも集まれないのであればネット活用のリモートで、エイサーはＰＡから流れる音だけの道じゅねーでと、多彩な対応をみせるウチナーンチュの姿は、今後の沖縄における新しい生活様式につながるものとして記憶に焼き付けたい。

スーパーは、お盆と台風とコロナ自粛の買い出しでごった返していたらしいけど、牧志の市場はかなり静かで、商店街通りは旧盆休みかコロナ休業かわからないシャッター通りとなっていた。それでも、時短営業していた餅屋さんはウークイのお供えのお餅の予約でいっぱいだった。ちなみに最近お供えのお餅って食べやすく、おいしくなっていると思う。

さて話は去年の続きである。去年のお盆の考察として「オードブル・ウークイ供え物じょーとーやさ」仮説を立てたことを憶えているだろうか。要するに二一世紀の沖縄の行事、特にお盆において、スーパーなどで売られているオードブルと呼ばれるアレが、供え物の重箱セットなどと同じような地位を占めるようになった……という、まぁいいんじゃないのそういう話題もたまには、という内容であった。

今年はウークイに集まる人も少ないので、オードブルは量は少なめだけどおいしいものにしたいよね、ということで、初めてのお店で旧盆用オードブルを注文してみた。スーパーやお弁当屋さんではなく、こじゃれたカフェというかレストランのオードブルなのだ。

新型コロナウイルス禍において苦しい状況にある飲食店がデリバリーに力を入れだしたのはご存じのことだろう。その洋食レストランのデリバリーがおいしかったので、お盆のオードブルも頼んでみたのだ。県産の食材にこだわって、野菜から肉からフルーツまで全てオール沖縄のようで、ソースがおいしい。そしてなんといっても揚げ物率が低いのである。値段もお手頃で、少人数で行ったウークイのウサンデーも大満足であった。

そのオードブルのお品書きを見ながらいろいろ話していたら、最近のオードブル事情について面白い話を聞いた。これまで揚げ物主体のオードブルに子どもたちも飽きてきて、「お母さんが、オードブルつくって」とリクエストするようになった、というのだ。

行事の料理はかつて、当たり前だが、みんな手作りだった。それが生活様式の変化、食の多様性を背景に三枚肉、カマブク、クーブなどの「ザ・旧盆・オールスターズ」の重箱料理のウサンデーがあまりご馳走として喜ばれなくなった。そこに登場したのがオードブルの行事食文化への侵入である。最初はウサンデーの補助としてそばにあったのが、やがて主役の座を脅かすようになり、仏壇の供え物の一角を占めるようになった。しかし生まれたときから家庭にオードブルが並べられていた世代が、その揚げ物主体のオードブルに飽きてきて、原点回帰の重箱料理のウサンデーにもどるかと思いきや、「手作りのオードブル」という、いろいろ一回りして第三コーナーをまわった感じの嗜好が生まれたのである……。

ぼくには聞こえる。台所でお盆のあいだずっと天ぷらを揚げている女性たちの叫びが。オードブルまで手作りしてどーする、天ぷらかめー！

台風の前の日、門は開かれていた

台風が来るごとに秋が深まる気がする。島に近づくその前に、こっそりと散歩したり、ジョギングしたのは、雲の流れがみたいから。

首里はご存じのように高台にあるため、空が近く感じる。たかだか標高百メートルほどだが、それでも海のそば、かつての低湿地帯だった那覇の市街地との高低差のコントラストで雲も近く感じるのだ。

超強力な台風といわれた一〇号のときも、沖縄へ接近する前の夕方、ちょっとだけ首里城の中をジョギングした。まだ警報は出てなく、台風前の風、という雰囲気はあったが、雨が降ってなかったから、ちょうどいい案配だったのだ。それで首里城の周りでも走るか、という気持ちになった。

台風前だから、首里城もてっきり閉まっているものだと思っていた。

ところが文字通り門は開かれていた。というか、いつもは閉じられているところの門も開かれていたのだ。

どういうことかというと、なにやら風対策らしい。あまりにも強い風の場合、門自体に被害が及ぶかもしれないので、最初から開けておいて風を抜けさせる、というのだろう。なるほどねぇ。感心しながら、台風前夜、というか夕方の風の中、台風対策された首里城を走り抜けた。

沖縄県の発令した新型コロナの非常事態宣言がそろそろ解除される予定ではあるが、まだ有料地域の入場はできない。無料のエリアにもさすがに客の姿はほとんどない。でも係の方は各門の番をしていて、入れますかと聞くと、マスク越しにどうぞと頷いてくれた。

いつものように無料地域をすたすた走りながら、ここに人が住んでいたとき、実際どんな台風対策したんだろうなと想像した。その時も門は開け放たれていたのだろうか……。

西のアザナまで行き、そのまま木挽門から城外へ出て、葉っぱが飛び交い始めた守礼門、園比屋武御嶽《ソノヒャンウタキ》石門の方へ抜けると、ちょうど那覇の防災無線のアナウンスがエコーしながら聞こえてきた。「こちらは……防災那覇……です。●●警報が……出ました」（すいません、文言は正確ではありません）。独特の間《ま》で、台風の到来を告げた。首里城かいわいで聞くと、いつもより臨場感が増す。

うりひゃ、あわてて、ジョギングの速度を心持ち上げて、家路へ急いだのだった。

今年の九月は、いつにもまして、首里の高台から空を眺めていた。雲の流れ、夕焼けの具合、月の輝き具合を確かめる。遠く旅ができないぶん、海の向こう、空の遠くに思いをはせたかったのかもしれない。

何度もやってくる台風の風で、新型コロナも吹き飛ばしたらいいのになぁ。

さまざまな「あれから一年」

あれから一年、という言い回しは、どんなときでも使える。日々いろんなことがおこっているのだから、さまざまな「あれから」がずっと続いている。それでも、この季節、首里を歩く人たちの頭の中には、あのときの首里城の姿を思い描いているにちがいない。

東京で働く娘が久しぶりに帰省したので、三人家族そろって首里城まわりを散歩した。彼女にとって首里は生まれ育った町なので、ぼくとはまた違った思いを持って、いまの首里城の姿を見ているようだ。あの夜、首里城からあがる炎の映像を見て何を思っていたのか。

娘は、龍潭のほとりから眺めることのできる首里城の姿を映像として撮っていた。この池は子どものころの遊び場のひとつだったというのだ。夏の日、友達と一緒に、風の通る橋影で涼んでいたらしい。そうした記憶の断片とともに、いまはない首里城の姿の一部を撮りたいのだろうか。首里城正殿がないこの風景も、いずれまた消えていく。

首里の人びとが楽しみにしている「首里文化祭」は今年もなかった。コロナ禍の影響である。大雨、炎上、そして疫病のため、これで三年連続中止なのだ。ただ去年と違って「首里城祭」と銘打ち、御城《ウグシク》では、規模縮小した王朝行列やランタンの飾り付けなどは行われていて、首里城下は、思っていた以上の人出があった。

龍潭の向かいにある、元博物館跡にして元中城《ナカグシク》御殿《ウドゥン》跡でも、物づくり体験と首里の民俗芸能、学生たちの演奏が楽しめる催し物が開かれていた。やっていることを全然知らなかったので、コロナ禍の、消毒、検温、連絡先記入ののちに、密にならないように人数制限されたイベント会場に入った。中学校の楽隊が演奏中で、それなりの観客がいた。奥のテントでは事前申し込みの物づくり体験コーナーのテントが並んでいる。

博物館の建物が移転のため撤去され、更地になってずいぶん経つが、日頃は入ることのできない中城御殿跡なので、興味津々で、舞台やテントが設置された周辺を、それとなく歩き回る。中城王子、つまり琉球国王候補が住んでいたという中城御殿は、復元の計画もあるそうだが、いまはまだ何もない場所だ。そこに首里城火災で出た瓦礫を収納した黒い袋がずらっと並んでいる。この瓦礫たちの最終処分はどこになるのだろう。

そもそも中城御殿の建物はいつごろなくなったか。前に何かの記録を読んだはずだが、忘れてしまった。その無くした記憶とともに、失われた平成の首里城の姿を眺めてみた。

翌日あらためて、旗頭が行われる時間にあわせて、中城御殿跡のイベント会場に出向いた。去年はできなかった首里の旗頭行列。今年は少しだけその気分を味わうことができた。さーさー、さーさー、のかけ声、鉦のキャラリンコンコン、ブォーとホラ貝の音、そして高く鳴り響く指笛。若衆によって、高く持ち上げられた平良《たいら》町と当蔵《とうのくら》町の旗頭の姿は、秋晴れの空に映えていた。やっぱり首里の旗頭はいいな。

小学校のころは子ども会で首里文化祭の行列に参加していた娘は、上京して数年経つが、もう長い間、首里文化祭を見ていない。さまざまな「あれから」の記憶の果てに、再建なった首里城下で、家族そろって一緒に首里の旗頭行列を味わう「いつか」を想像する。

市場で三枚肉を買う楽しみについて

例年とは違う年末年始といいつつ、大掃除して、お正月の料理を作り、紅白見て、那覇の港から響く汽笛の音に新年の喜びを感じるのは一緒だ。お正月は首里の寺社をまわる首里十二カ所巡り的な長距離散歩を行っているのだが、今年は、各寺社とも参拝客はぐっと減っていた。それでも、できるだけ密を避け、そそくさと手を合わせて何事かを祈ってみた。

ふと、一年前がまるで十年前のようだと思う。来年の今ごろはどうなっているのだろうかと、すでに一年後のことを考えてしまったりして。

今年の正月は、初めてラフテーの味噌味に挑戦した。三枚肉は、ここ数年、牧志の公設市場で買うことにしている。第一牧志公設市場は、現在、改築工事のため移動して仮設の建物で営業している。移転後、首里城正殿の火災、さらにそのあとの新型コロナ騒ぎで、訪れる観光客がぐっと減ったマチグヮー周辺だけど、年末は正月の地元の買い物客で、少しだけ賑わっていた。

知り合いのお肉屋さんに直行して、三枚肉をみた。ラフテーにするんだけど、脂身が少ないのがいいんですよねー、というと「あー、もうそれは今日は売り切れたねー。あるのはこんな感じ」

店頭に並べられている皮付き肉の断面は、確かに脂身の存在感がなかなかである。これはこれで美味しかったりするのだ。うーん、どうしようかなと考えていると、お店のお姉さんは、すぐに「うちにはないけど、ほかのところにあるはずよ。まわったらいいですよ」と、すっと並んでいる肉屋さんに目をむけた。

お客さんが欲しい肉を売る。なければ、よそを紹介する。マチグヮーならではの商いである。市場ぜんたいで儲かればいいという、ナチュラルな接客にじんわりしつつ、お目当ての脂身少なめの三枚肉を買った。今年は夫婦ふたりだけの正月料理なので、肉の量も少なめなのだけど、いやな顔せずに肉のブロックを半分にしてくれた。

そのあと、豚の中味（ビービーという柔らかい方）、コンニャク、かまぼこ、椎茸と、市場内のお店をあちこちまわって買った。なんか楽しくなって、テンションが少しあがる。年末気分ということもあるけど、ちょっぴん大げさにいえば、買い物本来の快感があったのかもしれない。年中行事にまつわる買い物を市場でするると、ぐっと雰囲気が高まる。

那覇の公設市場の特徴は、肉や魚や野菜、乾物など、それぞれ同業者の店舗が一緒にずらっと並んでいることと、お客さんと会話しながら商いしていく相対売りである。それはマチグヮーの伝統。

コロナ禍の仮設の公設市場で、「3密」ではなくて、お客の要望を「親密」に聞いてくれる相対売りの買い物が出来た記憶は、一年後もきっと憶えていることだろう。

コロナ禍でのんびりとゆんたくもできないけれど、帰りにおなじみの冷やしレモンを飲んで、新年の扉へ向かったのでした。

味噌味のラフテーは、初めてにしてはまあまあの出来だった。やっぱり豚肉は気持ち多めに買って煮込むのがいいみたいです。

理髪店もしくは理容室まーい

とぎれとぎれに続いている密かな趣味がある。

あれは十年も前のことになるかしら。サインポールというのが気になってしまった。みなさんも日々絶対目にしているはずだ。理髪店、理容室、床屋、つまり「だんぱちやー」の前、横、斜めでぐるぐる回っている赤と青のアレ。よく見るといろんな種類があることに気づいて、形状や、設置される場所や数、ちょっと斜めになっていたりとか、あまりに短いのではとか、いやいやそんなに早く回らなくてもとか、ひとつとして同じものがない……はずはないのだが、結構みんなそれぞれ、街の風景にじゃまになんない程度にアピールしている風情を楽しんでいるうちに、理髪店そのものにもあらためて注目してみた。

街角のマチヤグヮーや本屋さんがどんどんなくなるのに、理髪店（と美容室）は、時代の荒波に流されることなく、とにかくたくさんあるのだ。それで思い立って、家のある首里周辺で毎回違う理髪店に、後先考えずに入ってみることにした。（以下、理髪店、理容室をまぜて使いますが同じ意味です）

どんな髪型になるのかはもう気にしない。散歩がてら、またはただ車を走らせて、サインポールに引き寄せられるまま、空いてるところに行く。いろんな理髪店があり、みんなそれぞれ味わいがあった。好みは住宅地のなかにある店だ。看板もよくわからない、えっ、こんなところに、という店は知らない人の自宅に入っていく感じで、小さな勇気がいるのだが、それもふくめての楽しみであった。まぁでも小さな勇気しかないので、ひとの気配がしない、ネオンがチカチカしてサインポールがカタカタカカタと鳴っているようなところには、気持ちだけ残して、ただの散歩になることもあった。

ひとしきり首里の理髪店まーいをしたのだが、特になじみとなる店をおくこともなく、知らない理容室に入るという趣味は、いつのまにかフェード・アウトした。ここ数年は自分にお金をかけるのがもったいなくなって、もっぱら千円カット専門である。さらにこのコロナ禍の一年は髪を切ること自体がおっくうになって、緊急事態宣言が解除されるころにいいかげん髪の毛が伸びていることに気づき、ちょきちょき切りに行くという案配であった。……そういえば首里で二度目の引っ越しをして十年、このかいわいの理容室まーいはしてなかったなぁと思いだしたのも、きっとコロナ禍で二回りめの退屈だったからだろう。そこで、ふたたび知らない理容室に入るという趣味をフェード・インしてみた。

最初に入ったのは、歩いて一番近い理髪店。入ってわかったのだが、創業百年にならんとする親子三代続いている理髪店だった。お父さん（多分二代目）、息子（多分三代目）、その嫁さん、みんな理容師と美容師です、というたたずまい。家業という言葉が浮かんだ。すでに息子の代に変わっているが、そのお父さんらしき方がぼくを無言で一番奥の鏡の前に座らせてくれた。これといって何をするでもなくという、ごく自然な感じで、ぼくの髪の毛を切り出したお父さん。横で常連の人……話の内容からするとカットしている息子さんと同級生だ……の会話とつけっぱなしのテレビの音を聞きつつ、久しぶりの理髪店の時は過ぎていった。郷土、地元に支えられて、戦争、復帰、道路整備による立ち退きなどの時代の荒波をのりこえ、世代をつないできたのだなぁと、うとうとしていた。

理髪店と千円カットの違いはというと、滞在時間である。理髪店では、カットはもちろんであるが、やれ温かいタオルだ、シャンプーだ、髭剃りますか、眉毛も整えますか、鼻毛も……なんやかんやあるが、一番の楽しみはマッサージである。理髪店によっては、カットよりもマッサージの方の時間が長いというところもあった。奥から秘密兵器風にマッサージ器を取り出してきたりして。

しばらくして髪の毛を切り終えたようだ。ひと呼吸おくと、お父さんはハサミをおいて、すっとぼくの背中に手を当てた。おー、久しぶりに理髪店のマッサージだ。密かに楽しみにしていたのだ。するとお父さんは、静かにその手で、スーっと背中をひとさすりした。上から下に、寄り添うように。そして……おしまいだった。

あっ、そうなんだ。ここはそういうメニューなのね。そういうことか。いや、いいんです。仕上がった髪型も可もなく不可もないのだが、それはもともとぼくがそういうタイプだからだ。なでられた背中の感触がほのかに残る帰り道、創業百年にならんとする理髪店の奥深さにふれた気がした。

それから数か月後、緊急事態宣言が解除されて、ぼくの髪の毛がまた整備されていない公園の芝生のようになってしまってたので、ふたたび新たな理髪店を目指した。理髪店は土日ともなると、一見空《す》いていそうでも、実は予約でいっぱいである。飛び込み一見さんのぼくは数件ことわられたあと、前から気になっていた理髪店に電話してみた。予約とかってないですよ。いま空《あ》いてますよ、ひまですから。少し照れ笑いのような声で中年の男性の声。

その店は、首里では有名な、五つの道が交差する角の坂道にあった。散歩しているときから目は付けていたのだ。住宅地の中のお店で、たたずまいも普通といえば普通だけど、ただ小さな勇気が無くて通り過ぎていた。個性的な店名に想像をめぐらせつつ入ると、店内がキラキラしていた。よく片付けされた、でもどこかキッチュな待合室というたたずまい。狙ってないけれど、ひとまわりしておしゃれ、おしゃれ？　という感じ。昭和の喫茶店だ。ぼくが来店するまでにひとりお客さんがきていたので、「電話された方ですか。すいませんね」とお店の方が常連さんと会話しつつ、ぼくに声をかけてくれた。その間にぼくはお店の中をゆっくりと鑑賞する。

ひとりで切り盛りしているであろう店は三席、理髪店用の椅子が並べられている。思いのほか開放感があるのは、奥の壁が全面ガラス張りだからだ。なによりアカとシロの格子模様の床が目を引く素敵さ。お客さん用の鏡のまわりは、観葉植物がたくさん飾られている。手入れが行き届いている普通の草っぽいところも好ましい。

とつぜん壁の鏡の奥からもうひとりのおじさんが登場してきた。ぼくをみると、さっそくセッティングを始めた。このふたりはたぶん兄弟だなと推測。常連さんが、今日は休みかと思ってたと声をかけると、昼ご飯食べてました、とのこと。なるほどね。

そこからたぶん兄弟ふたりの分担作業により、ものすごくこだわった産毛の処理、カット、シャンプー、髭剃り、眉整え、そしてあのマッサージも入念にしてもらい、理容室コースを一時間ほど堪能させてもらった。その間に、生まれも育ちも首里ということで、このかいわいの昔話をいろいろ聞かせていただいた。散歩のときに気になっていた、首里風景のあれこれも質問させてもらう。……そうかぁ、汀良町の十字路の朝市は、野菜、魚売りのおばちゃんたちが百名近く集まっていたんだ……。

ちなみにお店の名前の由来は、予想通り映画のタイトルからとられたようだ。散歩しながら気になっていたんだよなー「ＡＫＡＨＩＧＥ」

帰り際、グリーンがきれいですよね、というと、平日はひまだから手入ればかりしているんですよ、なんとなく照れたような感じでこたえてくれた。

こうして理髪店もしくは理容室まーいは、続くのであった。

コロナ禍をむりやり双六に例える

コロナ禍でまたまた春がやってきて、沖縄は清明祭《シーミー》の季節となった。去年は沖縄県の医師会が、清明の集まりをできるだけ縮小するようにという声明を出していた。今年は、はやばやと新聞広告で中止を告知する門中もあった。

あれこれ予想しなかったことがおこり、悪い予感が当たっていく感じ、なにかに似ているかもと思った。双六《すごろく》である。サイコロを振って進んでいくけど、一回休み、三コマ戻って、そして「あがり」かと思ったら、「ふりだし」に戻る……。まぁしかしサイコロを振り続けないといけないわけです。まだまだゴール・あがりは見えないけれど、まん延防止措置が宣言された沖縄は「一回休み」という感じかな……。

去年の春、突如、食堂の「煮付け」にはまった話を書いた。その食堂がコロナ禍休業しているうちに、いつのまにかフェード・アウトしていた。小さなお店を閉めたのである。ただ張り紙などのお知らせもなく、いつのまにか看板がおろされ、しばらくしたら店舗内部の改装工事がはじまり、新しい食堂がオープンした。

食堂のおばちゃんたちはお元気のことと思う。でも長く続く休業要請をひとつの節目として引退していくお店も多いかもしれない。

新しいお店は、小さい間口はそのままで、でもすっきりとした店内である。厨房《ちゅうぼう》から男性の声がしている。前のお店となにかつながりがあるのかどうかわからないけれど、メニューは以前あった品目を踏襲しつつもブランニューなテイストも感じさせて、好感をもった。煮付けはというと、これがなんだか色合いが華やかで、三枚肉かてびちかを選べるようになっていた。時代は移り変わるけれど、継承されてもいるのだ。

そういえば、去年は、首里に引っ越ししてずっとなじみにしていた儀保町の精肉店「玉那覇ミート」のおじさんも引退してしまった。一人で切り盛りしていた精肉店なので、そのまま店じまいとなった。新型コロナの影響というよりも引退の時期が来たということらしいが、寂しいものである。おじさんが培ってきた精肉店のさまざまな技法、知識は、誰に継承されることもないというのが、なんとも言えない。妻は最後の日、花束を持ってあいさつにいった。地域になくてはならない店だったのだ。新聞や雑誌には取り上げられないけれど、長年続いていた街角のお店が、こんなふうにひっそりとフェード・アウトしていく。

しばらくひいきにしていた汀良交差点の小さなバースタンドも、去年春のコロナ休業からそのまま建物ごと無くなっていた。道路拡張らしいが、これもコロナ禍を機にということなのだろう。この十字路はかつて、戦前戦後、いや一九九〇年代まで、野菜や魚などの露天の朝市がたっていたところ。そんな歴史を語り継ぐためのよすがの風景ももう無くなった。

それでもぼくたちはサイコロを振り続けないといけない。いつか「あがり」の目が出ると信じて。

それぞれの「ヤングおおはら」

首里には、結婚を機に引っ越した。その年に子どもが生まれて、儀保町で十五年間ほど過ごした。うちの娘の故郷の風景は儀保十字路周辺といっていいだろう。しばらくして工事が始まり、ゆいレール儀保駅が出来た。それから首里駅近くの鳥堀町に引っ越しして十年はたっただろうか。散歩がてら儀保を通ると、あのころの小さな泣き笑いの日々を思い出して、なんともいえない気持ちになったりする。そのころ借りていた家はまだあるのだけど、この十数年で街角の風景はずいぶん変わった。

儀保十字路にはいろんなお店があった。スーパーにストア、商店、まちや小、居酒屋、たこ焼き屋、刺身屋、精肉店、薬屋、眼鏡屋、喫茶店、もち屋、ああそうだ、ペット屋さんもあったなぁ。病院、銀行、そしてたくさんの予備校たち。

そのなかで特に思い出深いのは、去年閉店した玉那覇ミートと、先月閉店したスーパー「ヤングおおはら」だ。

ヤングおおはらは、まさに十字路の一角にあった。スーパーマーケットとしては小さな部類に入る規模で、野菜や豆腐、牛乳などのその日必要な最小単位としての食料品と日常雑貨品があった。精肉、生魚のコーナーもあったけどそちらを利用した記憶はない。夕方には予備校生のための軽食が並んでいた。普段使いのご近所と予備校生たちにとっては、儀保十字路のシンボルといっていい存在だ。

さっと家から歩いていける距離で、うちの子どもの「はじめてのおつかい」はこの店でした(後ろから気づかれないようにしてその様子をのぞいていたのだ)。レジには、寡黙だがかすかな笑みをたたえたパンチパーマテイストのおじさんがいて、毎週コーヒー牛乳を取り置きしてもらったり、子どもが熱を出してなかなか下がらなかったときに、近所にターイユを売っている家を妻に紹介してくれた。

　ターイユは、熱を冷ますのに効くといわれている鮒のこと。煎じた汁が熱冷まし、養生の薬とされる沖縄の民間療法だ。独特の生臭さがあり、いやとても臭くて、ぼくは小さいころは苦手であった。那覇の市場でも普通に売られていたけれど、いつのまにか存在を忘れていた。しかし儀保の住宅地の一角の、小さな井戸のような生け簀で、熱が下がらない子どもを心配する親たちのために、ターイユは飼育されていた。ぼくらにとって儀保町はそんなところだった。

　ヤングおおはらのことは、我が家では、いつもこのターイユのエピソードとともに思い出す存在だった。ところがこの四月をもって閉店すると知り、その最終日、ぼくは散歩がてら寄ってみた。

　実はヤングおおはらはチェーン店で、那覇の小禄にも店舗があったそうだ。しかしまったくそのことを知らず、数年前に沖縄の若手のロックバンドに「ヤングオオハラ」という名前を見つけて、おおーっと思ったのだけど、それは小禄の方にある店が名前の由来らしかった。小禄の方はすでに閉店していて、その際にはそのバンドのメンバーたちのメッセージが店内に貼られていて感動を呼んでいたらしい。それも知らなかった。でも小禄の人もぼくと同じようにきっと儀保のヤングおおはらのことを知らないと思うな。

　儀保のヤングおおはらの店内はすでに閑散としていて、残り少ない商品がうす暗い店内のなかで所在なさげに並べられていた。寡黙なほほえみのおじさんはレジにいなかったが、店番のおばちゃんにひとこと、昔近所に住んでいてとてもお世話になったことを伝えた。もう三十年近くやっていたが、その前もここはスーパーだったそうだ。そうか、ここはそんな歴史があったんだ。建物が老朽化して解体が決まっているので、台風シーズン前に店じまいすることにしたという。ヤングがオールドになったのか。

店内の写真を撮らせてもらった。かつてここにぎっしりといろんな商品が棚に詰まっていたことは忘れないでおこう。歳とるとなんでも「つい昨日のことのよう」になってしまう。

店を出て、「儀保十字路のヤングおおはらが今日で閉店です。ごくろうさま」とその場でSNSに写真とともにツイートした。するとびっくりするくらいいろんな人がリツイートして、いろんな思い出をつぶやいていた。やっぱりみんなそれぞれのヤングおおはらがあったのだ。そのつぶやきをまとめるだけでも「儀保十字路ものがたり」ができそうだった。

バス停でバスを待っている間の出来事

五月のとある日。沖縄県立図書館に数時間こもって調べごとをするために、事務所のある寄宮近辺のバス停でバスを待っていた。バス停でバスを待つ。とても自然なこと。バス専用アプリを確認するが、接近情報はない。しばらく待たなくてはいけない。読みかけの文庫を取り出す。……主人公の自転車のブレーキが利かないために、彼女は世界一周の船に乗ることを決意する……。ふと顔をあげると、屋根付きバス停の、柱に寄り添うようにして小さな丸椅子が置かれている。沖縄のバス停では、ときおりどこかの誰かが持ってきたであろう中古ソファや椅子が置かれていることがある。最初から設置されているベンチの公共性とは違って、どこかしらパーソナルな雰囲気を漂わすバス停ソファのある風景。ぼくは好物である。

丸椅子は「ちょこん」という言葉本来の響きで寄宮近所のバス停にたたずんでいた。だれが持ってきたんだろう。ページをめくる手が止まりいろいろ妄想が浮かぶ。バスはまだ来る気配はないとアプリは教えてくれる。再び、世界一周の旅を思いついた彼女の物語に没入する……。しばらくして、静かな気配を感じて顔をあげると、あの丸椅子におじさんが「ちょこん」と座っていた。道路に背を向けて小さい体を少ししんどそうに丸めて虚空を見つめている。バスを待つのだろうか。気になりつつも、再び文庫のページをめくろうとしたら、おじさんはゆっくりゆっくり立ち上がった。そして歩き出した。スロー、スロー、ゆっくり、ゆっくり。おじさんは一歩一歩進んでいく。どこへ行くのだろう。というか、どこかお体が悪いのだろうか……もしかして、これはリハビリを兼ねたおじさんの散歩なのではないかと思いつく。姿勢はふらついているわけではないのだ。おじさんの健康と安全を自分なりに納得したので、読書再開。

午前中のバスはなかなかやってこない。文庫のなかの彼女は日々の仕事のつらさは全て世界一周の旅の費用のためだとがまんすることにした……けっこう読み進んでしまったので、接近情報を見ようと顔をあげたら、おじさんはまだほんのすぐ先に立っていた。ぜんぜん進んでいない。三歩歩いては立ち止まり、あらぬ方向を凝視して、また歩きだす。スロー、スロー、ゆっくり、ゆっくり。その動きは南米大陸に生息する愛らしい動物「ナマケモノ」のようだ。どうでもいいけど「ナマケモノ」って名付けひどくない？　おじさんはなまけていない。目指すべきコースがあるのだ。世界一周を目指す彼女のように、きっと。

そしてついにぼくはおじさんの目指しているゴールを見た。学校の校門前のパラソル弁当屋さんだ。そうか、お昼の弁当を買いにきたんだ。バス停の丸椅子からぼくだったら歩いて三十秒もしないところを、十分以上かけておじさんはたどり着いたのだ。その道のりに思いをはせてなんか感動してしまった。何げない街角の日々にこんなドラマが展開されていたなんて。

おじさんは再び来た道を戻りはじめた。そしてバス停の丸椅子までたどり着くとおじさんは再び「ちょこん」と座った。一休みという言葉はあなたのためにある。丸椅子はそのためにあったのだ。けしてバスを待つためじゃなかったんだ。よくわからないけれど、いろいろ感動した。これまでおじさんの歩んできた人生が走馬灯のようにぼくの頭のなかでぐるぐると回った。そんなことはお構いなしに、おじさんは丸椅子から立ち上がると、再び歩き出した。次の曲がり角まではバス停からお弁当屋さんの距離の三倍はある。いったどれほどの時間がかかるのだろう。その悠久の時を思い、ぼくは軽くめまいがした。

そしてバスはまだこなかった。まるで「ゴトーを待ちながら」の登場人物のような気持ちになったぼくは、ついにおそるおそるあの丸椅子に腰掛けてみた。

おーっ。なにかうまくいえない感慨がある。おじさんはどんな気持ちでここに「ちょこん」と座っているのだろうか。振り返ると、少しだけ遠くに、おじさんはまだいた。考えてみると、バスを待っているだけのぼくよりも、たくさんたくさん歩いていたのだ。

家の前にやってくる石焼きイモ屋さん

今年の春先、というか、うりずんというか、それくらいのころ、日曜日になると、うちの近所を「石焼きイモ〜〜」の声が響くようになった。たぶんこれまでも通っていたはずだし、街角ですれ違う焼きイモ屋さんの車も珍しいことではない。でも一年間、コビット19対応の自粛生活なので、日曜日の午後もそれなりに家で過ごすことも多くなり、石焼きイモ〜〜の声に反応して、どれどれと近所をキョロキョロ、声の聞こえるあたりを探すが、なかなかあたらない、い、い。

遠くの方から徐々に近づいてくるはずなのだが、家々にこだまし、森に遮られたりして、なかなか車を探せない。声がする方に車を出してそこいら一帯の路地を追ったが、いつのまにかイモの気配は消えている。

　そんなことが何回かあった後に、なんとなく石焼きイモ車のルートらしきものを想定できるようになり、ある日、ようやく追いついて、念願の石焼きイモを食べることができた。

　うちの近所にやってくる石焼きイモ屋さんは、おじさんでした。イメージをまったくはずさない、どうみても焼きイモ屋さんのおじさんだ。熱々の石焼きイモをひと袋、家で食べたら、しっとりほくほくと、そのおいしさのトリコになってしまった。

　いやもちろん石焼きイモはなんども食べたことあるさ。でもね、多分この年のこの歳になって、自粛中に味わったからなのか、とっても美味しかったのだ。食べ比べしたわけじゃないけれど、やっぱり本物は違うねーなどと妻とうなずきつつ、食べきれなかった分は冷蔵庫に保存。翌日から食後のデザートで冷やした石焼きイモを食べたら、なぁんて美味しいこと。ミルクと石焼きイモがこんなにマッチするなんて、この年のこの歳になるまで知らなかった。みんな、知っていたのか！　そういえば、一年じゅう石焼きイモ屋さんの車は走っているし、スーパーでもいつも売られているのは、そういうことだったのか。納得しました。

　その後、うちの近所を通る石焼きイモ屋さんのオッカケをしているうちに、おじさんはぼくらの家の前までやってくるようになりました。

「毎週食べてあきないねー？　かならず買わなくてもいいよー」と言うので、それなりに買いつつ、それでもやっぱり美味しいのです。日によって、イモによって味わいが違うのもいい感じなのです。みんな違ってみんなイモ。

昔むかし、米国民政府施政権下だったころ、沖縄で「日本復帰」をめぐって、政治的な争いがあったそうです。そのなかで有名なのが「イモ・はだし論」。せっかくアメリカ世《ユー》で、それなりに生活できているのに、いま日本に復帰したら沖縄社会はまた貧乏になる。イモしか食べられず、はだしで生活していたころに逆戻りするから、復帰には反対、というもの。(注 もちろんですが、かなり史実を省略しています)

でもいま美味しいイモ食べて裸足でずっと生活できたら、それはそれでかなり素敵なクオリティー・オブ・ライフかもしれないなあ。

夢見る泉崎の無人本屋さん

本棚を見るとついチェックしてしまう。図書館や本屋さんの棚は当然だけど、ふと入った喫茶店とか、病院や役所の待合室とか、そういうところについでにあるような本棚を見るのが好きなのだ。那覇市の某支所の待合席でみつけた年期の入った森村桂の『天国に一番近い島』のように、「こんなところに、何故かこんな本がある」という組み合わせを見付けたら、がぜん興奮します。この本たちはどのような旅路のはてに、印鑑証明を待っているぼくの目にとまったのか。想像しているだけで待ち時間はあっという間。

だいたいは背表紙を眺めるだけで十分なのですが、数年前、母親の手術の間に読んでしまったのは、病院の控え室にあった南沙織のエッセイ『二十歳ばなれ　素顔のままで、恋をしたい』。四十年ほど前のアイドルのエッセイ本が、何故いまここにあるのか。この本と南沙織さんが過ごしてきた月日を思い、つい読みふけっているうちに母の手術は無事終わった。今でも忘れられません。

つまり、こんなところに何故？　という気持ちにさせてくれるのがいいのです。

この夏のこと。炎天下、所用のため那覇上泉《かみいずみ》あたりを歩いていたら、なぜかしら呼ばれているような気がして（これホント）、目的の道とは違う街角をひょいっと曲がったのです。すると目に入ったのが「無人販売」の看板。これか、ぼくを呼んでいたのは。そろりそろりとその建物の前にいくと、事務所らしき入口の前に本の棚がありました。こんなところに何故？　どうやら本の無人販売らしい。これはなかなか珍しい。無人本屋さんだ。

単行本、文庫、ジャンルとわず、置かれるがままに様々な本がある。「不要な本はここへ」という張り紙もあるし、リサイクルに出された本だと思うけど、こういう中にも掘り出しものはあるもので、じっと端から眺める。どれでも「50円」もしくは「１００円」とある。おっ『ワイルド・スワン』上下巻だ、なんて見てたら、入口の窓ガラスの向こうからこちらをうかがうおばちゃんと目が合った。会釈したら、入口をあけて「中にもあるよー」と手招きするではないか。無人じゃないじゃん。と思いつつ、おもしろい話が聞けそうなので、社会的距離をとり不織布マスクごしの笑顔をしてお邪魔した。

なかは少し雑多な事務所という感じで、打ち合わせ机の横、書類が仕舞われていそうな棚の下、手の届かない引き出しの斜め横と、いろいろな隙間に本が置かれている。はさまれている。そうか、外に置かれているものが「50円」で、中に置かれているものが「100円」なのか。パッケージされたままの電機部品の棚もある。

本を選びながらゆたんく。もともとは電気屋さんだったらしい。しかしこのご時世、街角の電気屋さんの需要がなくなりどうしたもんかと思って、ご近所の人たちが集まるサロンとして開放することにしたらしい。いわく「100円でお茶と読書ざんまい」その名も、ドリームサロン泉崎。

高齢化したご近所さんのなかで、断捨離するときに本の処分に困っている人が何名もいた。もともと読書好きだったというおばちゃんは、あずかった本も読めるしということで、捨てるに捨てられない本たちを引き受けることにしたのだそうだ。ただ処分するのではなくて、サロンでもいろいろ活用できるということで、一石二鳥か三鳥なのだ。

「本はいいよー。ゲームばかりしている孫にも漫画でもいいから、本に興味持ってもらいたい」そう、そう。本がそこにある、その雰囲気だけでもいいと思うんだよね。

静かにドリームサロン泉崎のおばちゃんと意気投合し、斉藤美奈子、小川洋子などの文庫本をゲットして、なんだかとてもいい気分になって下泉の曲がり角を後にしたのでした。那覇の街角に本棚が増えますように。

五十年前の那覇大綱挽

今年もコロナ禍のなかで中止になった那覇大綱挽。この二年でいろんな伝統行事、恒例のイベントが行われず、少しだけ記憶が薄れそうな感じ。那覇大綱挽は、毎年必ず見に行っていたわけではないが、それでも那覇市民としてはどこかしら心躍る行事である。いや、国際通りの旗頭行列はやっぱり大好きである。沿道に腰掛けてビール片手に、東西、各地域の旗頭の飾り、旗を眺めつつ、ドラ、鉦の音、サー、サー、サーのかけ声に爆竹の爆発音に身を任せる。誰でも参加できる都市の祝祭空間があるということは、やはりすばらしいことなのだろう。ただの観光イベントと思っている人も多いだろうが、まぁそれを含めても、戦前と戦後をつなぐ那覇最大の祭りである。その歴史は琉球王国時代にさかのぼる。琉球国王慶事や薩摩在藩奉行歓待などの意味合いを持つ町方（都市）の綱挽として、沖縄の他の地域（農村）の綱引きとは違う成り立ちである。

現在の那覇大綱挽は、一九三五年を最後に途絶えていたものを、戦後二十六年を経て「日本復帰」を控えた一九七一年に復活した。ぼくはその時、那覇市立城岳小学校三年生で、家族そろって見に行っているのだ。その様子を当時のぼくの作文から見てみよう。当時、国語の授業で、一年間のつづり方の仕上げとしてまとめた個人文集「星」に、戦後初の那覇大綱挽のことが書かれていたのだ。原文は当然、書き間違いが多数あったので、わかりにくいところは少しだけ漢字に直したりしたが、できるだけそのままにした。あと、とても字がヘタでした。

なはの大つなひき　　三ノ九　　新城和博

きょうは、なはのそうりつ十二周年きねんで大つなひきやります。［※実はこのとき五十周年です］

三十六年ぶりだそうです。

この、大つなひきをひとめ見ようと、外人の人も、いなかの人もはるばるなはに見にきました。

ドラがねが鳴ると、旗頭が、動きました。たいこも小だいこも「ドンドン」と鳴っていました。旗頭が激しく動くと小だいこも激しく鳴りひびきました。「ドンドンチーンチーンドンドンドン」と鳴っていました。子どもは、ホラ貝をもっていました。おとなの服そうは、黒い洋服でした。子どもの服そうは、光ったきれいな洋服でした。

それが終わると、西も東も三人の人がむかいあって、いちおう帰ってつなをひきます。市長さんのあいずでつなをひきます。

市長さんはつなにのってかけ声をかけていました。

あんまり、ひっぱるのがはげしくて市長さんはころげおちました。

西も東もいっしょうけんめいひっぱりました。旗頭もはげしくうごきました。

両軍あせびっしょりでした。こうたいしたりしてました。

一時間つづいて、六時二十分におわった。はじめは「西のかち」といいましたが、東もがんばったので引き分けになりました。

このつなは、重さは二百五十トンです。二百五十トンというものは大きなトラックの三十何台分です。直径は、一メートル二十センチです。長さは、二百メートルです。かにちの高さは、大人の二倍です。

三十六年ぶりだそうです。この大つなひきをひと目みようと、いなかから船ではるばるとなはに見にくる人もいました。

あれから五十年たった。今年は那覇市制百周年だった。確かにときは流れた。しかしぼくは今も那覇に住んでいて、あまり変わらないことを書いている。字の下手さもあのころのままなのである。(いやもっとキタナクなっている)

しかし気になるのは、当時の那覇市長・平良良松さん、ほんとに、綱から転げ落ちたのでしょうか。

故郷は眠りについていた

久しぶりに那覇・国際通りで人波をみた十一月。緊急事態宣言が解除されたのだ。通りの観光客の満ち引きは激しい。一方、那覇牧志のマチグヮー一帯で、コロナ禍でも地元の買い物客でそれなりの賑わいがずっとあったのは太平《たいへい》通りだ。午前十時ごろから開き始める青果屋さんや惣菜屋さんは、なんでーマチグヮーはいつも通りだよ、という顔つきで、マスク姿のお客さんをさばき、午後五時あたりになると、そそくさと店じまいの支度を始める。変わらない風景があるというのは、この期間中、特にありがたいものだと思った。

でもやっぱり、街の風景はずいぶん変わった。長年そこにあったはずの建物が、いつのまにやら消え去り、その一角が空白になっている。街の隙間が増えたのだ。向こう側の景色が透けてみえているようで、いわゆるシカラーサンという気分になる。ここは「心寂しい」といっておこうか。

開南バス停から平和通りに向かって下っていくサンライズなは商店街は、かつて新栄通りという名で、びっしりと中小、多くの商店が建ち並んでいた。それが現在ごそっと左上下の奥歯・前歯が抜け落ちたかのように、通り半分がスカスカになっていた。新型コロナウイルスだけのせいじゃないだろうが、あらためて眺めて愕然とした。

開南バス停は、那覇から南部へいたるバス交通の要所として、ぼくの記憶の中ではいつも人混みだらけだった。今は夢から覚めたかのように、人影まばらだ。

「復帰五〇年」にまつわる記憶としてぼくが選んだ開南バス停の風景を、二十代のテレビディレクターに説明しても、買い物客や通勤・通学でバスを待つ人たちで、ごったがえしていたことを信じてはもらえない。もちろんバスを待つ人たちはそれなりにいるのだけど、こんなんじゃなかったんだよと、なぜか言葉に力が入る。

しかしあらためてぐるりと一帯を眺めると、道路拡張工事によって、まるで右の上下、さらに左下の奥歯・前歯がごっそり抜け落ちたかのように、さっぱりと建物がないのだ。だんだん不安になる。記憶もハーモーになっていくのかしら……。

ぼくは生まれも育ちも那覇で、ここ以外に居住したことがないという、極めて移動スケールの小さい人間だ。結婚するまで過ごした家は開南バス停から歩いて三分もしない。だからこのかいわいは、まぎれもなく地元だった。しかし親が離島出身だったこともあるのか、自分がナーファンチュ（那覇人）という気持ちはほとんどなかった。

でもいま、ぼくがずっと心の中で抱きしめていた開南バス停の風景はなくなった。スカスカになったバス停のうしろに透けて見えるものはもうなにもない。ただ漠然と開けた空間のそこかしこに、もう二度と戻ることはできない時間があった。その時初めて、ここがぼくの故郷なんだなと口に出すことができた。故郷が、できたのだ。

遠く離れて思わなくても、すぐそばで静かに故郷は眠りについていた。

あじゃのおばさんたち

先日、親戚のおばさんが亡くなった。九十九歳だというから、寿命を全うしたということになるだろう。しばらく会っていなかったけれども、小さいときからかわいがってもらった。いつも陽気なおばさんで、笑顔しか思い出させない。きれいな白髪で、ふくよかな顔立ちをしてカジマヤーの衣装をつけている遺影写真のおばさんよりも、復帰前からずっと働いて、子どもが大きくなったら島に戻って過ごしていたころの、元気な姿だけがぼくの記憶にある。それだけ最近は会ってなかったということだけど。

うちの母親の島では、戦後多くの村人が沖縄本島に出て仕事をしていた。復帰前、軍雇用の仕事をしていたおばさんは安謝に住んでいたので、ぼくは「あじゃのおばさん」と呼んでいた。うちの母親は、島から出て、那覇の神里原の百貨店・山形屋に勤めていた。開南バス停近くに住んでいて、結婚後もそのまま開南に住み続け、ぼくたちきょうだいもそこで育った。ぼくらは島のヤーンナー（屋号）とは別に、「かいなんの新城です」と言って、知らない親せきにあいさつしていた。ちなみに開南は通称地名で、うちの住所は「樋川」である。当時開南バス停はとっても有名な交通の要所、繁華街の入口だったのだ。

時々、母親に連れられバスに乗って安謝のアパートに遊びに行った。降りるバス停に近づくと、車内側面に設置されている洗濯紐みたいなものを引っ張ってブザーを鳴らしていた。一号線の道路の下がトンネルになっていて、トンネルを抜けるとそこは安謝の商店街だった……すべてはいま後付けされた記憶の映像かもしれないのだが。

おばさんのところでは軍払い下げ品をいろいろもらった。その中でなぜかアーミー色の鉛筆削りが印象に残っている。ほんとにそんなものがあったのかどうか、いま確かめてみたい。

ものごころ付いたときから、ぼくらのまわりには島のおばさん、おばぁさんたちがたくさんいた。那覇の家にもよくたずねてきていたし、夏休みにはちょっとした里帰りのように島に遊びに行けば、よく来たねと、近所のおばぁさんたちに囲まれた。みんな朗らかだった。でもその笑顔はどことなくクールでもあった。キセルで煙草をスパスパ吸ってたなぁ。おばぁたちは、ずっとおばぁのままで、ずっとぼくらのそばにいるもんだと思っていた。いま気がつくとおばぁたちのほとんどはどこにもいない。煙草の煙のように消えてしまった。かすかな記憶の香りだけ残して……。

おばぁさんたちは何名か寄り集まると、たまにイクサのことも話していた。どんな風に「玉砕場」に行ったのか。そのあとの山のなかでどのように暮らしていたのかとか。そんな風にして、ぼくたちはごく普通に「集団自決」の生き残りの子どもであることを自覚したのだ。

夏休み、島に行くと、まず線香を立ててトートーメーの前で手を合わせる。線香が燃え尽きるまで仏壇の前に座らされた。おばぁさんがすりすりと手を合わせながら「サリ、トートガナーシー……」と、なにごとか厳かにつぶやいていた。線香の煙はいつまでも消えない。とても長く感じられたあの時間は、いまとても豊かな時間だったことに気がつく。

コロナ禍二年目の年の瀬に、おばぁさんたちの朗らかでクールな笑顔が思い浮かんでは消えていく。

冬枯れた小径にて

那覇の冬枯れた風景も悪くない。

ひとけのない那覇市民会館の裏を流れるガーブ川沿いの砂利道を歩きながら思う、二〇二二年一月。すでに成人式もおわり、新春気分はないのだけど、旧暦十二月八日のムーチーが今期一番の寒さを連れてきたおかげで、ようやく冬らしくなった。

川沿いの桜はまだひっそりとしている。ざく、ざく、ざくっ。砂利を踏みしめる音が思いのほか耳に心地よい。まるで雪を踏みしめているよう……。水面を覆うススキの穂がざわっと繁っている風景にはっとする。モノトーンの与儀公園へと続く川沿いの小径。老朽化のため閉鎖されて、ただ解体を待つだけの那覇市民会館は、立ち入り禁止のためのフェンスにぐるりと囲まれて寒々しい。だれも入れないはずなのに、モトクロス仕様の自転車が施設内の壁にぶら下がっている。いつ見ても不思議だ。

川をはさんで反対側には、これまた閉鎖されたままの旧沖縄県立図書館がじっとしている。ぼくが大学生のときに建て替えられた県立図書館は、旭橋に新しく建設されたビルに移転してしまった。いま元図書館の建物は閉鎖されたまま、誰も入ることはできない。いつも混んでいた駐車場の門も閉じられたままだけど、枯れ葉が風に舞っているなか、なぜかいつも数台車が駐車している。どのようにして入ったのだろうか。不思議だ。

那覇市民会館と沖縄県立図書館という大きな建物二つが閉鎖されている。ここにひとけがないのは当然だ。

ぼくは散歩しているわけではない。仕事に必要な書籍を借りに、那覇市立中央図書館に行く途中なのだ。ここはもちろん閉鎖されていない。でもこの建物ってたしか復帰前の「琉米文化会館」だったはずだから、市民会館や県立図書館よりも古いんじゃなかろうか。ここもいずれ閉鎖されてしまうのだろうか。

そう考えると、与儀公園へと続くこのガーブ川沿いはなんてもの悲しいところになってしまったのだろう。でもぼくは嫌いじゃない。

砂利道から中央図書館の入口へと向かう階段をあがると、今日もいた。花壇の縁に首をうなだれて座っている高齢の女性の姿。ぼくが本を借りにいくとき、返しにいくとき、なぜかいつも同じ場所にいるのだ。というか三回ぐらいは見かけた。冷たい風に吹かれても薄着のままだ。

そそくさと仕事に必要な本と、ついでに趣味のための小説数冊借りて戻ると、あの女性はいなかった。なぜかほっとする。うなだれた姿を見ないですむからだろう。

ひとけのない、といいながら、その女性のようなたたずまいのひとは、ぽつんぽつんといる。

行き場所のない、とは思わない。川沿いのこの風景こそが、やがて私たちの通る道なのだから。

誰もいない冬枯れた川沿いの小径にひとり砂利を踏みしめて戻ると、桜の根元の草むらに白いネコと、白いネコがいた。二匹の白いネコ。そこだけ暖かそうな草むらのうえに、うつらうつらしていた。ひとけはないがネコにはそれなりに人気のスポットなのかもしれない。

もう少しすると、この川沿いに桜の花が咲き始める。いまはそれを楽しみにして冷たい風をやりすごそう。

「橋の名は」

〈那覇まち〉を散策しはじめたのは、もう十数年前になる。きっかけはいろいろあるが、生まれ育った開南、牧志公設市場周辺が変化していることを、自分なりに確かめようと思ったのだ。その心のありさまをエッセイとして連載していたのが、当時結構人気を博していた『沖縄スタイル』という雑誌。なんでも書いていいという依頼だったので、「幻想の那覇・街角記聞　すーじ小を曲がって」というタイトルにして、身近な通り、忘れかけていた通りを文章でスケッチしていった（二〇〇七～二〇〇九年）。

「与儀に隠れていた小さな川の名前」というタイトルで、与儀十字路のそばにあった「名も無き川と橋」のことを書いた。いつも車で通っている開南から与儀公園あたりへつづく道。それこそ子どものころから数え切れないほど歩いてきたのだけど、そこに気づかれないほどの川というか、しーり小（小さな排水溝のようなもの）とアスファルトに埋もれていた橋の痕跡をみつけたのだ。欄干がまるでアスファルトに食い込むようにして頭を出している。橋の名前も埋もれて見えなかった。

〈与儀十字路手前でぼくが凝視した支流は、多分その川（ガーブ川）へと続いているに違いないのだが、いったいどのようにしてつながっているのか、もうひとつ見当がつかない。でもよく見てみると、アスファルトに覆い隠されているが、ちゃんと橋の名残が残っていた。ここはちゃんと川だったのだ〉

橋の名前を知ったのは、ずいぶんとあとのことだ。誰かに教えてもらったのだが……あまりにも平凡な名前ですぐに忘れてしまい、ぼくのなかではずっと「名も無き川と橋」だった。

月日は十年ほど流れる。

その小さな欄干のことは、ときおり気にしていた。車で通りながら、やがて消えていくのではと思ったのだ。気がつけば与儀十字路一帯は、銀行の二階にあるお風呂屋、大きなバイク修理屋、ガソリンスタンドなど、長年ランドマークとしてあった建物が道路拡張により取り壊されていった。風景は一変した。

路線バスが毎日たくさん通るわりには、歩道も整備できないほど狭くて雑多だった開南大通りは、きわめて見渡しのよい道路に変わった。与儀十字路のバイク屋が解体されて、ぼくが「名も無き川」と読んでいたしーり小も、人目にさらされていた。

今年に入り、知り合いのフェイスブックの投稿写真で、アスファルトに埋もれていたその名も無き橋が、川の工事により「発掘」されていた。河川工事というより、排水溝というか暗渠《あんきょ》の修繕工事で、石積みのきちんとしたアーチ型の土台が「発掘」されたのである。小さな橋の土台はちゃんと残されていたのだ。

そのけなげでかわいい、しかもちゃんと石橋としてのたたずまいを残している姿は、ちょっとした反響があった。ぼくも少し興奮した。あの橋はちゃんと役目を果たし続けていたのだ。この石橋はいつごろできたのだろうか。

手元にあった昭和初期の地図をみると、ちゃんとそこには橋のマークがあった。まさか戦前から？　いやそんなことないだろうと思いつつも、とにかく見に行った。

この交通量の激しい道路、アスファルトの下で、その橋は、静かに役目を果たしていた。思った以上にきちんとしたアーチ型。立派に石橋《いしばし》という感じだ。いろいろな角度から眺めて飽きもせず、かといって触れもせず、というあんばいで、ぼくはその石橋のそばで少しの時間過ごした。欄干もちゃんとあった。いやぁいいなぁ……まさに縁の下の力持ちの橋だったのだ。橋はにっこりと笑っていた。

二〇〇七年ごろ撮っていた写真をあらためて見ると、わずかにアスファルトから飛び出た欄干に「新」の文字がある。

誰にも見られることなく与儀十字路を支えていた、橋の名は「与儀橋」。またの名を「新栄橋」。たぶん戦後新しく石橋を立て直したときに「新栄橋」となったのかもしれない。戦後昭和の匂いのする名前だ。工事がすむとまた埋め直されるらしい。そんなふうに那覇のあちこちに埋もれたままの橋がいくつかあることを忘れないでおこう。

コロナ禍のトレーニング・ルームにて

コロナ禍で三度目の春を迎えた。一年目は、子供たちの学校が突然休校になって右往左往していた。何度かの波がやってきた二年目は、先はまだまだ見えないけれどワクチンが開発されたらしいということで、暗いトンネルのむこうにほのかな明かりを感じた。そして三年目だ。まさか世界を揺るがす戦争が起こるとは思っていなかった。STOP THE WAR!

沖縄は、一年目の夏あたりから、国内のコロナまん延期を先取りするようになっていた。緊急事態宣言が出ると、ぼくが通っている公共のトレーニング・ルームは閉鎖になってしまう。

運動不足とストレス解消のために始めた、きわめて軽い室内でのワークアウトは、意外にもぼくの生活になじんでいた。もう五年くらいは続いているのだ。

いろんな人が利用しているところで、ぼくよりも年長のかたも多く、いつ行ってもいるヌシのようなおじさんが何人かいた。健康維持のため、のんびりランニングマシンでテクテク歩いている夫婦らしき方や、筋肉自慢のおじさんたちはそれぞれ顔なじみだ。ここがひとつの交流ルームのようで、楽しそうに会話していた。

ぼくは聞き耳をたてているわけでもないが、なんとなく聞こえてくる話とワークアウト用に流れてくるジャスティン・ビーバーをＢＧＭに、ひとり静かに運動する。とくにそこで誰かとなじみになるということもない。でも常連の方の顔は次第に覚えるものだ。運動の終わりにいつもやるエアロバイクをこぎながら、文庫本を読むのが至福の時になった。この数年いろいろ読んだが、この状況でベストは片岡義男の短編集である。片岡作品はとにかく数が膨大なので読み尽くす心配がおそらくは、ない。津村記久子の短編も好んで読んでいる。

閉鎖期間中は、そんなに運動することもなく過ごしてしまったので、まん延防止期間が明けるのを、そのつど心待ちしていた。

何か月に及んだ最初の閉鎖が明けてのトレーニング・ルームは、人数制限が設けられ、感染防止対策のため、さまざまな制約があった。だけど、なじみの彼らはやはりちゃんといた。お互いの近況を確かめ、再会をよろこぶ会話が聞こえた。ぼくもその様子に安堵した。お元気でなにより。

しばらくして、ルームでの会話は禁じられた。「黙トレ」である。感染防止のため無用の会話は禁止、有酸素運動以外はマスク着用、使用した器具はそのつどアルコールで拭くなど、さまざまな対策が取られていた。それでもトレーニング・ルームはリラックスできる場所にかわりない。

二回目の長期の閉鎖のあとも、やはり彼らは集まっていた。でも前より静かで会話も少なくなった。

三度目の閉鎖明けには、ヌシの何人かの姿を見かけなくなった。

あのなかよくいつもテクテク歩いていたご夫婦も、元気がないように感じられた。

そして今回、ふたたび再開されたトレーニング・ルームには彼らの姿はない。

BGMもあいみょんに変わった。

ぼくは片岡義男を読みながらエアロバイクをこぐ。

みんな、お元気だろうか。一言も話したことのない彼らの健康を気にしながら、今日もトレーニング・ルームに通う。三度《みたび》、春はいつものようにやってきたのだから。

五十年後のシロツメクサ

大雨が降るといいなと思っていた。明け方から降っていた雨は激しくて、午前中、止《や》みそうにないと思っていたが、お昼すぎには雲の切れ間から日差しも見えるような案配となった。風は強い。流れる雲の様子をみながら、少しくらいの雨ならどうにかなるだろうと判断して、ぼくは家を出た。髪の毛がみだれるのが気になり帽子を深めにかぶる。以前ならこの状態でマスクまでして、ひとけの無い住宅地をうろうろしていたら不審者っぽく見えただろうが、いまはまだ大丈夫。

明けない夜もないし、止まない雨もない。ほんとうにそうだろうかと思いつつ、首里から那覇へ下りる。目の前で開南行きのバスを逃してしまったので、ゆいレールに乗り、安里駅で降りることにした。車両内には、小さな子どもを連れた家族連れや、スマホをじっとみつめる女性、おじいちゃんと孫とその母親の姿。いつもと変わらない。

安里駅から栄町市場側の階段を下りて国道330《サンサンマル》号、通称「ひめゆり通り」を南西に向かって、ひとり歩く。昨日は土曜日だというのに混んでいた車道だが、今日はいつもの日曜日と変わらないようだ。すれ違う人もほとんどなく、最近うわさの牛丼屋、今日は休みの韓国料理の店、一度も入ったことのないこじゃれたサンドイッチ屋などの前を、通り過ぎる。

今日は姉の誕生日なので、公園横のスーパーに入り、国産ワインを買う。通りとは対照的に、店内はとても混んでいた。

五十年前のその日、大雨の中、大勢の「沖縄県民」が怒りの声を上げていたという、その公園はひっそりとしていた。常設テントとガジマルの陰で将棋を指しているおじさんたちの近くで、炊き出しの準備を始めるボランティアの人、なにかをしきりにつついているハトたち。つまりは、いつも通りなのである。

特に用事は無かったのだが、なんとなく気になって立ち寄った与儀公園は、考えてみたら久しぶりに来たかもしれない。いつもは那覇市立中央図書館で折り返すからだ。コロナ禍のなかで、与儀公園の広場で行われていた植木市や桜祭りも開かれていないようだ。広場はいちめんシロツメクサでいっぱいになっていた。まるで緑のじゅうたんだ。足を踏み入れると、前日からの雨で、かなりぬかるんでいる。靴底からじんわりと泥水が染みてきそう。このままだとそこは大きな沼地になってしまうのではないか。誰もいないシロツメクサの広場を斜めに横断しながら、ぼくは五十年前の雨の日、家のなかで聞いていた雨音を想像していた。もしあのとき、激しく降る雨なんか気にしないで、この公園まで走っていたら、怒りに満ちた大人たちの姿を見ることができたに違いない。開南から与儀公園まで。小学四年生のぼくには少し遠い場所だった。なにしろ校区が違うからね。シロツメクサはそのころ沖縄にはほとんどなかった。復帰後からじわじわ沖縄でも見掛けるようになった外来種である。

与儀十字路はこの数年でかなり変わった。開南大通りも数年前の面影すらない。五十年前は道路は狭くて、どこもかしこもっとごみごみしていたけど、通りはいつも多くの人が行き交っていた。みんなどこへいったのだろう。

那覇でもめっきり少なくなった横断歩道橋の上から、もう一度与儀公園を眺めてみたら、那覇市民会館が居眠りするようにひっそりとたたずんでいた。

ワインを届けたら、そのまま開南バス停から那覇高校前をぬけて立法院まで、足を延ばそう。琉球政府前から国際通りにでれば、それはそのままかつてのデモコースなのである。

狭小地にバナナは揺れていた

なじみのパン屋さんでサンドイッチ用のカンパーニュとトースト用のふすまパンを買った。店舗のすぐ横が駐車スペースになっている。いつもはすぐに車に乗り込み家路を急ぐのだが、今日はそのスペースの横の、少しだけ奥まった空き地に立派なバナナの木がしげっているのに気がついた。四方を建物が囲む狭小地で、四角く区切られたその空き地に、思いがけず堂々たる存在感を醸し出しているバナナの木に、なぜかしら惹《ひ》かれるものがあった。実がたわわになっているのがわかる。まるでパパイアのようだ。

パン屋と隣の建物の間に人がひとり通れるほどの通路があった。敷地内とも私道ともいえそうなあいまいな境界線を十二歩ほど歩いた突き当たりに、五段ほどのコンクリート階段があり、そこを上るとバナナの木と対面できた。ちゃんと階段があるということは、だれかの敷地なのだろう。小さな石敢當《いしがんとう》もあった。

小さく区切られたその場所は、だれかが世話しているアタイグヮー（敷地内の小さな畑）かとも思ったが、そのバナナの風情は、いわゆるナンクルミーであった。つまり勝手に生えてきた実である。どこかしら堂々としたたたずまいは、だれにも気づかれないその場所の主《あるじ》のようでもあった。

那覇のあちこちの思いがけない空き地にバナナやパパイアが見事になっていることがある。誰かが手をかけているのか、いないのか、ほったらかしにされているのか、収穫されるのか。いずれにせよ、コンクリートとアスファルトだらけのこの街で、狭小地だからこそ手がつけられていない地面から屹立しているバナナやパパイアを発見すると、なぜだか得した気分になる。じっくり鑑賞したあと、あらためてこの狭小地はどうやってできたのだろうと考える。まわりから建物ができていくうちに、なんとなくできた余白だろうか……まっ、いいか。その日はスマホで植物採集するかのごとくバナナの木を撮影して帰った。

一週間後、いやもう少したったあとか、いつものパンを仕事帰りに買いに来た。スライスしてもらった商品を受け取りながら、店主とゆんたくする。昔は「ゆんたくはダンパチヤー（理髪店）で」だったが、いまはパン屋なのである。

すぐうしろの空き地にバナナの木があるでしょう、あれは誰かの畑かなんか？「ああ、なってるよね。あれは切ってもいつのまにかすぐ生えるんだよね」店主によると、実《じっ》はそこは数年前まで小さなトゥータンーヤー（トタン屋根の家）があって、そこに朝から酒くゎってるおじぃがひとりで住んでいたそうだ。同じくお酒をしたたか飲んでしまう、酒じょーぐーの近所のおじぃたちがよく集まって飲んでいたという。そうか、あの階段はお家に上がるためのものだったんだ。石敢當もお家があった痕跡だったのだ。

そんなに朝からしっちー飲んでいたら、体に悪いさーね。やっぱり、そうなんじゃないか、ある日、亡くなったわけよ。しばらくして、家も取り壊されたんだけど、そのままほったらかしにされては、いた。で、気づいたらいつのまにか草ぼーぼーになった屋敷跡に、いつのまにかあのバナナの木が生えていたわけよ。

もともとこの一帯は畑だったそうで、あの小さな階段にいたる私道めいた道は、行政的にはいまでも農道扱いだそうだ。戦後のどさくさにまぎれて農道に建てられたお家も、数年たってしまえば居住権が認められて、土地の所有権は行政もあいまいなままだったという。（このあた

りの話も真偽はあやふやだけど）

しかし、あんなに小さい場所にどんなお家が建てられたというのだろう。でもぼくが小さいころの那覇のすーじ小のお家は、どこもかしこもそんな感じだった気もする。小さな高低差の隙間に建てられたお家は、特に珍しいものじゃなかったな。そういう狭小住宅は戦後の那覇の記憶を刻印しているのだ。

帰宅途中の車のなかで、ぼくは、朝から集まり酒を飲んでいたおじぃたちのことを想像する。あの階段を酔っぱらいつつ上り、どんな話をしていたのだろうか。もう誰も知らない。ただそこにそんなことがあったということを、静かに揺らめいているバナナの葉のささやきが教えてくれた。（正確にはパン屋店主が、だが）

あのバナナの木の下で、そのおじぃは今も朝から酒くゎっているかもしれないなぁ。

のうれんプラザのハッピーデイズ

この連載でも何度も取り上げているのだけど、「のうれんプラザ」である。

【これまでのあらすじ】戦後、設立された「農業連合組合」の市場である那覇市与儀にあった農連市場《のうれんいちば》の建物が老朽化のため取り壊されて、新たに「のうれんプラザ」という複合施設に生まれ変わったのが、二〇一七年十一月のこと。アメリカ世から復帰後につづくオキナワの原風景として紹介されていた「農連」のレトロなたたずまいがまったくない施設に対して、否定的な意見を述べる人たちがいたが、ぼくは新しい市場の誕生として、その変化を味わっていこうと思っていた。そもそも農連市場も最初は新品の建物だったのだ。

あれからいろいろあったけれど、新型コロナウイルスのパンデミックが続いているなか、のうれんプラザはどうなっているのかというと、ぼくはだいたい週二~三回のペースで通っている。主な目的は、平日のお昼ご飯である。土日に寄るときは野菜も買う。

この五年の間にいくつかの店は無くなり、また新しくオープンする店があった。特に飲食店の変動は激しかった。市場はいつも動いている。新陳代謝を繰り返しながら、その時代にあった姿に徐々に変わっていくようだ。その動きの中でコロナ禍三年目の夏の特徴はというと、「東・東南アジア化」である。

沖縄そば、八重山そば、沖縄惣菜、沖縄居酒屋（含むステーキ）、鮮魚居酒屋といった地元沖縄の食と、ラーメン、日本そばに、フルーツサンド、ブリトー、ハンバーグといったラインアップから、韓国のファストフード、台湾の豆花などが加わり、さらにベトナム料理の店がこの夏オープンしたのである。この流れは、那覇の公設市場かいわいも含めた変化でもある。もともとアジア料理の店はあったのだが、コロナ禍で、台湾、韓国の飲食店が増えた。アジアからの観光客の姿が無くなったマチグヮーの一角がアジア化しているのはとても興味深い。

のうれんプラザで、今年一番通うようになったのは、沖縄惣菜の食堂なのだが、おばちゃんたち家族（たぶん）が営む、お客さんの平均年齢七十歳前後という食堂になぜはまったのかについては、深く長い話になるのでいずれ会ったときにでも話すとして、八重山そば、日本そば、台湾のルーローハン、韓国の冷麺、北海道ラーメン、海鮮寿司定食など、いずれの飲食店も、ほどよい具合で混んでいないので、このコロナ禍で重宝している。復帰五十年関連の取材を受けるときも、のうれんプラザのお店をさんざん使った。

のうれんプラザにやってくるお客のほとんどは地元客である。しかも卸しの業者さんは別にして、普段使いのお客の年齢層はまあまあ高い。外のエントランスの木陰には、何をするということもなく炎天下で座り込んでいるおじぃ、おばぁさんたちの姿もある。まるで公園に集まる猫たちのように、ただそこにいる感じ。夏の暑さも冬の寒さもどこかしら人ごとのように受け流している。

そうした風景をながめつつ、台湾の黒糖蜜をかけた豆花を食べながら、台北の様子を描いたエッセイを読んだりして、那覇から動くことなく、心の中で東・東南アジアを旅行しているのだ。今年の夏はマンゴーまつりのごとく、あちこちの店でマンゴーが売り出されている。

ぼくの、のうれんプラザのハッピーデイズは当分続く。

「ちむどんどん」のことを考えると「ちむい」？

結婚してから、ＮＨＫ朝の連続テレビ小説を見る習慣がついた。それ以前は「おしん」さえ一度も見たことなかったの。で、もう二十年以上は見ているわけだが、何をどう見ていたのか、という記憶は断片的だ。やはり朝ドラを強く意識して見だしたのは「ちゅらさん」以降である。そして「あまちゃん」は全身全霊をかけて見ていた。近年では「おちょやん」が最高だったと思っている。だからこそ「ちむどんどん」だって、ちゃんと「ちむぐくる」こめて見ています。かの「純と愛」も最後まできちんと見たさいが。やはり沖縄が舞台というのはいろいろ注目してしまう。いろいろご意見あるだろうが、ドラマとして、普通に楽しんで見るようになった。えらいっ！　自分で自分を深く甘やかしたい年頃なのだ。

ところで「ちゅらさん」は朝ドラ以降、全国的にも多くの人が知るうちなーぐちになったと思う。県内でもっとも観光客が訪れるという「美ら海水族館」の影響もあるだろう、「ちゅら」という言葉は、まあまあ全国区といっていいだろう。

では「ちむどんどん」はこれからどうなるのだろうか。ドラマではなくて、うちなーぐちとしてのちむだ。「ちゅらさん」のように全国で知られるようになるのかしら。ドラマが終わったあとの「ちむどんどん」の将来については、いろいろシワ（心配）している。このままじゃ違う意味でいろんな人のちむに刻まれるのならやだなと思う。

そもそも自分の人生のなかで、つい思わず口に出してしまったことがあるだろうか、「ちむどんどん」。そんな青春もパッションも持ち合わせていなかったような気がする。他人がリアルに言うのも聞いた覚えはない。かと言って知らなかったわけじゃないし、わざと意識して使う場合だってあった。まぁ使わなくても「ちむどんどん」状態になっていたことはある、ような気はする。口に出して「ちむどんどんするさー」と言わないだけさー、のかもしれない。

そのむかし。沖縄の若者たち（中高生）の間で、「ちむい」という、うちなーやまとぅぐちが使われていると知ったのは、一九九〇年代の初めころ。当時、うちなーぐちは今後どうなるのだろうと、自分も「聞けるけどしゃべれない」世代として気になっていた。このまま絶滅していくのか、どうか。しかし若者たちは、新しい沖縄の言葉の活用形を生み出していることに感心したのだ。そういううちなーぐちスラングも歴史を作り出すことだってあるはず。

ぼくが聞いた「ちむい」は、他の人を見て、話をきいて「かわいそう」と思ったときに使う、つまり「ちむぐりさん」である。「心が苦しい」「かわいそう、気の毒だ」という心の底からのシンパシーなのである。比較的ライトなシチュエーションでもカジュアルに「ちむい」「ちむい」と使えるのも、うむさん。

この「ちむい」はなかなかのものだ。きっとこのうちなーぐち若者言葉は、使いでがあるから、きっと生き残るに違いないと、当時、確信していた。

そして現在……みなさんのまわりに「ちむい」はいますか？　「ちむい」と口に出す人はいますか？　「ちむどんどん」が脚光をあびているなま、ぼくは静かに「ちむい」を探す旅にでようと思っています。（要するに現在調査中です。いろいろ情報集まってきました。いずれ報告します）

九月十八日は「しまくとぅばの日」。ぼくは、うちなーやまとぅぐちも、若者たちが生みだしていくうちなーぐちスラングも、新しい「しまくとぅば」だと思う。

そもそもこの「しまくとぅば」も、本来は「シマ（集落）」単位で使われる言葉という意味合いが強かったそうで、琉球諸語（シマジマ各地で使われているさまざまな言葉）全体を「しまくとぅば」と言うのは、極めて新しいことだし。

さて、残りあとわずかの「ちむどんどん」を見ながら、「ちむわさわさー」「ちむぐりさん」「ちむしからーさん」と、しばらくは全面的に「ちむ・ちむ」していこう。

誰もいない海のバニシング・ポイント

遠出をすることが極めて少なくなったのはコロナ禍の影響だ。すっかり外出そのものにおっくうになった自分がいる。特に夜の打ち上げ、飲み会の類いはまだまだ出かける感じにはなれない。テレビでイベントの人出を眺めては、なんだか違う星にいるみたいだと思いつつ、月日は過ぎていく。

それでも夏の終わりの連休には、えいやっと重い腰をあげて、妻と行く当てもないままドライブした。イメージは、誰もいない海――。ふたりの愛を確かめたくなるには遅すぎる世代になってしまったが、せめて夏の終わりくらいは味わいたいのだ。

できる限り人がいない浜辺という条件を満たす海岸というのはなかなかないだろうと思いきや、今回はいろいろ探しあてることができた。

ここ数年妙に落ちつく沖縄島東海岸沿いを北上。沖縄島で歳を重ねていくと、東海岸がしっくりくるようになるのだ。たぶん。観光施設はもちろんなくて、知り合いがいない限りぜったい訪れることのない集落の、かぎりなく農道に近い脇道にそれていく。車がすれ違えるかどうかというところまできて、心を決めてそろりそろり入っていくと、まあだいたいは行き止まりなのはしょうがないが、意外なほどきれいな浜にでることがたまにある。

人がいた気配はするのだ。でもいまは誰もいない。ちょっとしたゴミや、車一台分ほどの防風林の切れ目、段差に置かれたブロックの階段。それはだいたいおじさんの気配である。どこにも居場所のなくなったおじさんたちは、ひとり海を眺めに、そういう隠れ家的な海岸をひそかに持っているのである。多分夜中、もしくは夕方やってくるに違いない。

そしてそういう眺めの場所に、ときおりぽつんと椅子が置かれている。だれかが自分ひとりのために、おうちから持ってきた椅子、でも知らない誰かが座ってもいい椅子。雨風にさらされても気にしない、たぶんおうちでは使わなくなった椅子だろう。行き場のないおじさんのもうひとつの分身かもしれない。みなさん、知ってましたか。おじさんは行き場がないんです。

ぼくも試しに座ってみる。広がる浜辺の風景はやはり極上のもの。だれもいないというそれだけで得した気持ちになる。そしてその椅子の持ち主のことをふと思う。いったいどんな気持ちでこの海を眺めているのだろう。釣り人ではないのだ。彼らはもっとぐぐっと海に接近するし、釣りざおをはめ込むためのセッティングは岩場にダイレクトに仕込んでいたりする。おじさんの椅子は浜から少し離れて置かれているのだ。

ぼくはそのおじさんの視線と重なることを意識しながら、誰もいない海をしばらく眺めた。その椅子は、誰にも知られずに、おじさんがこっそり持ってきた。それはきっと彼の人生のバニシング・ポイント（消失点）だ。そっと消え去りたいと思いつつ座ってそこからの景色を眺めていたい。

誰もいない海にぽつんと置かれた椅子ひとつ。そんな妄想だけが広がっていく。

ウマンチュが繰り出した秋

十月から十一月にかけて、堰を切ったようにさまざまなイベントが沖縄県内で開かれた。新型コロナウイルスのため、ぐっと我慢していたウマンチュが街角に繰り出した。

一年延期して六年ぶりに開かれた「世界のウチナーンチュ大会」では、例年と比べると沖縄にやってきたウチナー移民の子孫の方々は少なかったというが、国際通りで開かれた前夜祭のパレードには多くの市民が訪れて、沿道から「おかえりなさーい」とあたたかい声援を送っていた。ぼくはテレビでちらりと見ていただけだが、それでもつい目頭が熱くなる。世界のウチナーンチュでもない、親戚に移民した人もいないけど、なんだろうね、これ。

しかしぼくも那覇の市場通りで世界のウチナーンチュをおもてなしする様々なイベントがあるらしいと知って、こっそり見に行った。というのも、最近とみに足腰が弱くなった母を姉が

「久々に市場に連れて行くかも、市場のウェルカムイベントの出し物に沖縄の民謡とか踊りがあるので、それを見せてみようかな」と言っていたのだ。それに便乗したのである。たまたま帰省していた娘と一緒に市場通りに向かった。

サンライズなは商店街通りは久々に観客の輪が出来ていた。ちょうど沖縄民謡、舞踊のステージが始まったところだった。輪のはしっこで、準備してきた小さなイスにちょこんと座っている母たちと合流できた。この雰囲気は実に久々だ。ウイルス感染の心配が頭をよぎるが懐かしさは止められない。

うちの母は認知症と診断されてしばらく経つ。姉がそばにいて面倒を見ている。普段はデイケアにも通っているが、このコロナ禍のなかで外出する機会はほとんどなくなった。しかし母は人が集まる場所が好きで、歌・踊りが大好きだ。なにかあればつい踊りの輪の中に入りたがる、社交的な性格。暑さも和らぎ、人口十万人あたりのコロナ感染者数もいつのまにか全国最下位になったりしたいまなら外に連れ出してもいいかもしれない。コロナの前は、太平通りや平和通りで開かれていた沖縄の歌踊りのイベントを見によく市場に行っていたのだ。

ずいぶん腰の曲がってしまった母だが、三線太鼓の響きに引き込まれるようにして立ち上がろうとする。少しでもステージが見えるように姉が母を支えて移動しようとしたら、それを見ていた周囲のおばさんが背中を押し、さらに横にいた見知らぬ兄さんが母の手をとって、ステージの傍まで連れていった。母はしばらく兄さんの手を離さなかった。あとで姉に聞いたら「隣にいるおばさんが、踊りたがってるよ、はい、踊らしなさい、連れていきなさいって、ずっと言っていた」とのこと。さすがにアッチャメー（足踊り）はもう踊れないが、歌にあわせてティーモーイ（手踊り）、ティーパチパチ（手拍子）。市場が母を踊らせようとしていた。

忘れかけていた、通りに人が鈴なりの風景。街に以前の活気が戻ったかと錯覚しそう。「世界のウチナーンチュ」を歓迎するイベントだが、そこにいる人々の多くはどうみても「沖縄のウチナーンチュ」だった。

そういえば十月は久々に那覇大綱挽も開催されたのだった。コロナ禍が始まる前年二〇一九年に綱が切れるというアクシデントがあって以来の三年ぶり。今回は、国道五八号で少し短くした大綱を挽く人を、事前にネット予約してもらい人数制限をしたらしいけど、綱を挽く直前に綱が切れるというアクシデントで、結局綱挽き自体は行われなかった。しかし国際通りでの旗頭行列は無事行われ、ぼくは全ての旗頭を見てしまった。できるかぎり密集しないように気をつかったが、久しぶりに見る旗頭の演舞には心躍るものがあった。あっ、ここはちむどんどんか。強烈な日差しのもと、それなりの観客と縮まったソーシャルディスタンスのなか、それぞれいつものよりは静かに旗頭、空手、棒術を楽しんでいた。見終わったあと、つい我慢しきれず、市場で昼呑みなるものをしてしまった。

そして十一月三日である。首里に旗頭が戻ってきた。首里住民が愛する「首里文化祭」のメイン行事である旗頭行列は、二〇一八年に大雨で中止となり、翌年には首里城炎上、そしてコロナ禍と続き、四年間も開催されてこなかった。今年は首里城復興イベント「木挽式」なかの「木遣式」で、久々に旗頭行列があった。かつての首里のメインストリートである綾門通り（いまは首里高校の裏通りという認識だ）で、山原の森で伐採された巨木オキナワウラジロガシを先頭に、首里の各町の旗頭が演舞したらしい……。実は午前中に行われたその行列にぼくら家族は参加できなかった。そんなに早く終わるものだと思ってなかったのだ。見に行ったらすでに旗頭御一行はそれぞれの自治会へ帰るところだった。でもがっかりはしない。

久々に首里の町に人波があった。それ以外のイベントも多数あり、その日は終日首里城周辺をうろうろした。催された企画の中には、ここ数年で注目を集めている「三二軍司令部壕」の現地案内もあった。これから首里城を語るときには、この壕の存在を無視することは出来ないだろう。

そしてうれしいことに夕方から首里中学校グラウンドで、首里各町有志による旗頭ガーエーがあったのだ（今回は「旗頭交流会」ということらしい）。これは首里文化祭では恒例となっている祭りの締めともいえる催しで、グラウンドに集まった旗頭たちが一斉に演舞するその姿はなんともいえない多幸感がある。今回そのなかに首里真和志町が戦後初めて復活させた獅子舞いが披露されたのはなにより感動した。娘が保育園のころ、縁があって真和志町の子ども旗頭に参加したことから、うちの家族の首里文化祭の歴史が始まったのだが、その時から「いつか獅子舞いを復活させたい」ということを自治会の面々が熱く語っていたのだ。伝統とは夢を忘れずにいる人たちがつなぐものなのだなぁと、ちむわさわさーした。自分はまったく何もしていないのに。

しかしかつてこうしたイベントが毎年普通に続けて行われていたのか……。

えびす通りで黒ビール

えびす通りで黒エビスを飲む。コロナ禍のなかでの密やかな楽しみだった。

おなじみ開南バス停からサンライズなは商店街の坂道を下り、水上店舗の連なる太平通り、新天地市場通りをまたいで、浮島通りを横切ると、すぐの左手斜めに入口がある。そこが、えびす通り。

小さい頃は、母親と一緒に市場に買い物に行くと必ずといっていいほど、その入口横にあった紳士服店に立ち寄った。母の知り合いが勤めていた店だ。えびす通りは特に衣料、布地関係の店が並んでいた記憶がある。思い出すときはいつもきまって土曜日の夕方の雰囲気。きっとオトナのゆんたくに飽きて、早く家に帰ってテレビでも見たかったに違いない。

そのころから木造アーケードがあった。那覇でもっとも古いアーケード横町なのである。ビニールトタンの薄い日差しが差し込むアーケードは、ここ数年雨風が吹き込むようになっているが、まるで昭和の映画セットのように、この小さな通りの時間を少しだけ巻き戻している。

牧志公設市場かいわいに立ち呑み・センベロブームがおこったのは二〇一六年に、足立屋という東京下町の雰囲気を醸した立ち呑み屋が出店してからだ。それ以前は、アーケードの下の商店街に居酒屋や呑み屋というのはあまりなかった。アーケード商店街は昼間の街だったのだ。昼呑みという文化がなかった。

足立屋の成功は「アダチアン・ドリーム」と一部で名付けられ、公設市場周辺を中心に、水上店舗やサンライズなは商店街などにぞくぞくとセンベロの店が登場してきた。飲食店がなかったえびす通りにも少しずつ呑み屋が増えて、気がつくと、両側のほとんどが呑み屋という通りになっていた。見渡すと、ふとん屋も靴屋もボタン屋も衣料品店も、みんな居酒屋、呑み屋になってしまった。

ぼくが好んで立ち寄ったのが、えびす通りのまんなかの十字路の角地にある生ビールスタンドのお店。カウンターはそのまま通りに面していて八名も座ったら満席になる。沖縄ではあまり見かけない生ビールが数種類置かれている。週末の用事を済ませた夕方、または映画を見たあとの余韻をもてあましているとき。ふらりと立ち寄り、エビスの黒ビールを飲むのを無上の楽しみとしていた。というか、この店で黒ビールの味に目覚めたのだ。「BEER BAR Chebis」

アーケードの下で感じる春夏秋冬の風と湿気のなか、お客さんは地元のような旅人のような、常連のような一見さんのような、そんな雰囲気。ぼくはひとりちょこんと混ざってカウンターへ。打ち上げも懇親会も断ってきたコロナ禍でも、なんとなく立ち寄れたのは、オープンスペースだったからだ。毎回決まって黒ビールを頼んでいたので、しらないうちにお店の人に「メン・イン・ブラック」と呼ばれていた……。

家路につくまでの、ほんの少しの時間。名付けようのない時間を満たしてくれる、えびす通りの黒ビール。なじみのお客さんがカウンターの向こう側に合図する。聞き耳を立てなくても聞こえてくるいろんな会話。

持ち歩いている文庫をめくりながら、酔いが回ると次第に何を読んでいるのかわからなくなる。そういうあんばいになったら、そろそろ切り上げの時間だ。

さあ、ゆいレールに乗って、首里に帰ろう。

あとがき

「ごく私的な歳時記」と題して年相応の身辺雑記を書き始めたのは二〇一五年一月のこと。なんでも好きなことを書いていいですよーと、タイムス住宅新聞社が毎週木曜日に発行している「週刊ほ～むぷらざ」のウェブマガジン「コノイエプラス」の編集部のやさしい言葉に誘われて、月に一回、ほいほいと書き始めました。

その前年二〇一四年一月に〈復帰後〉を振り返った『ぼくの沖縄〈復帰後〉史』を刊行し、この年の五月に那覇のまち歩き・自転車散歩のエッセイをまとめた『ぼくの〈那覇まち〉放浪記』を出した。特に沖縄タイムスで連載した『〈復帰後〉史』は、復帰後の四十年間、沖縄の社会的な事象を同時代的に考えるというテーマがあったのだけど、ほ～むぷらざのウェブマガジンで書く歳時記では、自宅のある首里弁が岳周辺の春夏秋冬をしんみりと徒然《つれづれ》てしまおうと考えていました。しかし性分の落ち着きのなさは押さえられず、気がつくと、自宅から沖縄のあちこちへ〈お出かけ〉する様子を書くようになった。なってしまった、そしてこんなどうということのない気持ちを記していても、月日が経てば、いつのまにか時代の証言っぽくなってしまうのです。やがて掲載ウェブの名前は「fun okinawa～ほ～むぷらざ～」となりました。『ぼくの沖縄〈復帰後〉史』は、二〇一八年、二〇二一年と二度増補して、復帰五十年を見越して二〇二一年までをカバーした『ぼくの沖縄〈復帰後〉史プラス』となりました。つまりこの本はその「プラス」の期間と執筆時期がほぼ重なっているのです。『〈復帰後〉史』が振り返りながらまとめたのに対して、この『〈お出かけ〉歳時記』は、沖縄の普通の暮らしぶりでの小さな発見について、そのときその瞬間で、それこそ好きかってに書きました。実はその一部は、自分で「時代の証言」として「プラス」で引用しました。いいのかしら。今回改めて収録している「沖縄に雪が降った」ことや「のうれんプラザ」「首里城炎上」一年目の「コロナ禍」などです。あらためてその前後のことも一緒に読んでいただければ、またちがう風景を思い描くこともできるかもしれません。『〈復帰後〉史プラス』『〈那覇まち〉放浪記』そして『〈お出かけ〉歳時記』は、そろぞれ微妙、かつあからさまに重なりあっています。まとめて「ごく普通の沖縄生活誌」として楽しんでもらえれば嬉しいです。

　そろそろ首里での生活も三十年に近づいてきました。連載は現在も続いております。「fun okinawa～ほ～むぷらざ～」のみなさま、どうもありがとうございます。今回、カバーデザインは、デザイナーで『オキナワノスタルジックタウン』著者・宜壽次《ぎすじ》美智《みち》さんにお願いしました。ビートルズカラオケ仲間でもあります。ニライ社の平良すみかさんには文章のチェックをしてもらい、かつ自家製のシークヮーサーももらいました。ありがとうございました。

『うちあたいの日々』というコラム本を一九九三年にボーダーインクから刊行してもらって三十年になろうとする。びっくりするくらいあっという間である。ボーダーインクのみんなには感謝するしかない。煮付けの似合うお年頃となりましたが、もうしばらくお付き合いいただければ……。

著　者

新城和博（しんじょう　かずひろ）

一九六三年沖縄・那覇市生まれ。そのまま那覇で過ごす。青い海出版社、沖縄出版をへて、一九九〇年創立のボーダーインクに参加する。編集者としての業務のかたわら、沖縄に関するエッセイを執筆したり、どこかへお出かけしたりの日々。

著書に『うちあたいの日々』（一九九三）、『〈太陽雨〉の降る街で』（一九九六）、『ンパンパッ！おきなわ白書』（一九九九）、『道ゆらり』（二〇〇二）、『うっちん党宣言』（二〇〇五）、『ぼくの沖縄〈復帰後〉史』（二〇一四）、『ぼくの〈那覇まち〉放浪記』（二〇一五）、『増補改訂ぼくの沖縄〈復帰後〉史プラス』（二〇一八、二一）（全てボーダーインク）、共著少々。

来年の今ごろは
ぼくの沖縄〈お出かけ〉歳時記

二〇二三年二月二五日　第一刷発行

著　者　新城 和博
発行者　池宮 紀子
発行所　㈲ボーダーインク
〒九〇二―〇〇七六
沖縄県那覇市与儀二二六―三
https://borderink.com
tel（〇九八）八三五―二七七七

印刷所　株式会社 東洋企画印刷

ISBN978-4-89982-441-1　C0095
printed in OKINAWA Japan

写真説明、のようなもの

巻頭

1　首里・弁が岳
2　汀良交差点「三丁目」ふきん(首里の秋、月夜の弁が岳周辺)
3　サングヮチャー
4　与那原大綱曳
5　首里の脇道
6　浮島書店
7　首里赤田町みるくウンケー
8　ロマン書房牧志店
9　のうれんプラザ
10　林百貨店(台南で昔の那覇を思ふ)
11　台北の脇道(小川会の袋小路と台北の長屋)
12　台北の自転車本屋
13　那覇市第一牧志公設市場
14　首里大中町旗頭(ぴかぴかの首里城の記憶)
15　首里を流れる川(新春、首里トレイル・ウガンジュ・ランニング)
16　太平通り・豊食堂(「煮付け」の似合うお年頃)
17　首里儀保町の「ヤングおおはら」
18　それぞれの煮付け

巻末

19　台風前の首里城
20　(理髪店もしくは理容室まーい)
21　開南バス停
22　(「橋の名は」)
23　(バス停でバスを待っている間の出来事)
24　(誰もいない海のバニシング・ポイント)
25　(狭小地にバナナは揺れていた)
26　2016年、夏
27　西の海に太陽が沈む
28　さまざまなすーじ小など
29　那覇・川沿いの風景
30　えびす通り
31　かつての農連市場の井戸
32　首里・旗頭ガーエー
33　あのイソヒヨドリ
34　(誰もいない海のバニシング・ポイント)

⑳

⑲

㉑

㉒

㉔

㉓

㉕

㉖

㉗

㉘

㉙

消火器
古い井戸があります
みんなできれいにしましょう
農連中央
Coral Aqua

㉛

テイクアウト
TAKE OUT

㉚

㉜

㉝

㉞